Manual para la Certificación de Líderes de los Edificadores de Vida

ISBN: 978-1-940682-34-1

Traducción al español: Déborah Enid Ortiz Rivera,
Departamento de Ministerios Hispanos

Agradecimientos

Nuestro agradecimiento a los gigantes de fe y pioneros del ministerio que sentaron los cimientos para el discipulado de los varones. Patrick Morley dice:

> Si queremos que **la sociedad** funcione...
>
> Organice a **la iglesia**; si quiere que la iglesia funcione
>
> Organice a **las familias**; si quiere que las familias funcionen,
>
> Organice a **los matrimonios**; si quiere que los matrimonios funcionen,
>
> Organice a **los varones**.

Damos gracias a:

El Comité Ejecutivo Internacional de la Iglesia de Dios por haber reconocido la importancia de alcanzar y discipular a los varones, por medio de este ministerio.

Los miembros del comité actual y anterior: Mark L. Williams, David Griffis, J. David Stephens, Wallace Sibley, Thomas Propes, Raymond Culpepper, Tim Hill.

Dr. Jhon D. Nichols por haber dirigido la organización de este ministerio, antes conocido como la Confraternidad de los Caballeros.

Charles Beach por su liderazgo de la primera Confraternidad de Caballeros.

Leonard Albert, director de los Ministerio, de Varones de la Iglesia de Dios de 1975 a 2010.

Don Warrington por su contribución con el desarrollo de currículo para el discipulado.

Ed Cole, por su visión y compasión hacia los varones.

Ministerios asociados

Patrick Morley, fundador y director del ministerio "Man in the Mirror".

Pablo Cole, presidente de la Red Mundial de Varones Cristianos.

Darrel Billups, presidente de la Coalición Nacional de Ministerios de Varones.

Tabla de contenido

SECCIÓN 1

Introducción

Bienvenido a los Edificadores de Vida, hombre fortalecidos por el Espíritu...

Usted está embarcándose en un viaje transformador, de discipulado, guerra espiritual y misión. El hacer discípulos requiere mucha fe, fuerza espiritual y perseverancia. Sin embargo, Dios, quien hace mucho más de lo que pedimos o entendemos, nos ha encomendado esta misión. Las recompensas sobrepasan el tamaño de los retos. Los varones serán transformados. Serán padres llenos del amor y la gracia de Dios. Amarán a sus esposas como Cristo amó a la Iglesia. Este ministerio cambiará a las familias, iglesias, comunidades y mundo.

Mi padre era alcohólico. Conozco el dolor de crecer con un padre esclavizado al alcohol. No me malinterprete. Yo lo amaba. Era un hombre amoroso y bondadoso que siempre ayudaba a los demás. Recuerdo sus lágrimas cada vez que nos pedía perdón y prometía que nunca volvería a tomar. Esa clase de hombre necesita ayuda. Las iglesias están llenas de varones que nunca han experimentado la gracia de Dios que liberta del pecado. Muchos desconocen la alegría de seguir a Cristo de lleno o el propósito de Dios. Alguien se preguntará por qué Dios no hace algo al respecto. ¡Pero si ya lo hizo! Él dio a su único Hijo para que muriera en nuestro lugar. Envió al Espíritu Santo a convencer, transformar, santificar y empoderar a los varones para que sean discípulos hacedores de discípulos. ¡Ya lo hizo! Lo ha llamado a usted para que haga discípulos.

Usted ha tomado la misión de rescatar a los varones, ayudarles a descubrir la gracia sanadora de Dios, a que cumplan el propósito con el que fueron creados de ser un ejército de hacedores de discípulos. Hay que admitir que muchas iglesias han fracasado en el discipulado de los varones. La prueba está en los dilemas morales de nuestra cultura. Esta misión es más grande que usted. Le pertenece a Dios. Sin embargo, ha prometido: «En los postreros días —dice Dios—, derramaré de mi Espíritu sobre toda carne, y vuestros hijos y vuestras hijas profetizarán; vuestros jóvenes verán visiones y vuestros ancianos soñarán sueños» (Hch 2: 17). El Espíritu Santo lo ungirá para que guíe a los varones al descubrimiento de la gracia de Dios, de modo que sean libres de las ataduras del pecado y cumplan su propósito.

Este programa lo prepara para la misión. ¡No fracasará!

Siga con fe en que Dios nos dará la victoria a través de nuestro Señor Jesucristo. Estoy orando por usted.

—David H. Gosnell
Coordinador Internacional Discipulado de Varones

¿Por qué su iglesia necesita el ministerio de discipulado de los Edificadores de Vida?

¡Los varones fortalecen a las iglesias! Este ministerio hará discípulos, beneficiará a los varones, la iglesia y su pastor.

Beneficios para los varones:

- Serán discipulados a través de mentores, células, las disciplinas espirituales y una misión.
- Descubrirán sus dones, aprenderán a usarlos y serán adiestrados para el ministerio.
- Serán movilizados a trabajar en la iglesia, porque "todos son ministros" y testigos de Jesucristo.
- Serán renovados espiritualmente a través del estudio bíblico personal y grupal, la confraternización, el desarrollo de una vida de oración eficaz y el bautismo en el Espíritu Santo para que den testimonio y sirvan en la iglesia.
- La confraternización con sus hermanos les inculcará un sentido de responsabilidad, pertenencia y compromiso con la familia de la iglesia.
- Serán desafiados a mejorar como esposos, padres, proveedores, líderes espirituales, sacerdotes, empleados y comerciantes.
- Encontrarán su propósito y misión.
- Se convertirán en compañeros de oración de sus pastores y los ministerios de la iglesia.

Beneficios para el pastor o la pastora:

- Tendrá un grupo de apoyo.
- Tendrá líderes sabios y capaces.
- Los varones estarán listos para la obra del ministerio.
- Encontrará nuevos compañeros de oración.

Programa de Certificación

Este programa tiene como fin el adiestrar a los líderes y equipos de los Edificadores de Vida.

Usted aprenderá:

- Que necesita un ministerio de discipulado de los Edificadores de Vida.
- Las claves para iniciarlo.
- Las cualidades que debe buscar en el líder.
- A formar y adiestrar a su equipo.
- A empezar bien.
- A generar el entusiasmo.
- A reclutar a los varones.
- A mantenerlo.
- A discipular a los varones.
- A ser eficaz.
- A formar un equipo de compañeros de oración del pastor o la pastora.
- A adiestrar a los líderes de las células de discipulado.
- A descubrir otros recursos para el discipulado de los varones.

Requisitos

Esta sección presenta los requisitos para recibir la certificación de liderazgo de los Edificadores de Vida.

El 1er nivel requiere:

1. La lectura del Manual de Certificación de Liderazgo de los Edificadores de Vida.
2. Que complete el examen que aparece al final del manual (es recomendable que el proceso ocurra en una célula o grupo pequeño).
3. Su pastor o pastora deben avalar su solicitud, incluyendo la verificación de sus antecedentes penales.
4. Que sus formularios estén al día en la oficina de Discipulado Internacional de Varones.
5. Su iglesia debe tener un capítulo oficial de los Edificadores de Vida.

El 2do nivel requiere:

1. El haber completado los requisitos del nivel 1.
2. Que asista a la conferencia de Certificación de Liderazgo de los Edificadores de Vida.

Quienes asistan a la conferencia serán certificados en el 2 nivel como maestros que, a su vez, podrán certificar a los líderes locales. Discipulado Internacional de Varones facilita los formularios de certificación.

El 3er nivel está reservado para los directores y equipos estatales/regionales de los Edificadores de Vida.

Estos líderes organizan conferencias de formación de líderes y certificaciones en los primeros dos niveles. El 3er nivel implica la colaboración con los ministerios internacionales y la red de liderazgo de los Edificadores de Vida. Esta red tiene como fin el entrenamiento de los líderes y la implementación del programa estatal/regional. El obispo administrativo confirma la certificación al nombrar a los líderes. Éste, a su vez, inicia el proceso de certificación de los miembros de su equipo.

Envíe sus formularios a:

International Offices of the Church of God
Men's Discipleship
P.O. Box 2430
Cleveland, TN 37320

O por email en:

Mensdiscipleship@churchofgod.org

SECCIÓN 2

Claves para el comienzo: guía rápida

1. **Recabe el apoyo de su pastor/pastora:** Su actitud, liderazgo, apoyo, relación y asistencia es crucial para que la labor de los Edificadores de Vida. El pastor dirige y promueve el ministerio. Su actitud influye a los varones a que se comprometan con la misión de la iglesia. Cada palabra de apoyo es de gran importancia para el éxito del ministerio.

2. **Establezca la misión y visión:** Jesús dice: «Toda potestad me es dada en el cielo y en la tierra. Por tanto, id y haced discípulos a todas las naciones, bautizándolos en el nombre del Padre, del Hijo y del Espíritu Santo, y enseñándoles que guarden todas las cosas que os he mandado. Y yo estoy con vosotros todos los días, hasta el fin del mundo» (Mt 28: 18-20). La visión es alcanzar a todas las naciones y convertir a cada ser humanos en un discípulo. Jesús dice: «El discípulo no es superior a su maestro; pero todo el que sea perfeccionado, será como su maestro» (Lc 6: 40). Dios desea que cada uno sea salvo y siga a Cristo fielmente todos los días. Los fieles seguidores de Jesucristo son mejores maridos, padres, líderes, miembros, etc. Nuestra misión es hacer discípulos.

3. **Reclute a un líder capaz:** Este ministerio no gira en torno a una persona, pero tenga por cierto que el líder es vital para su éxito o fracaso. Sus aspiraciones determinarán el alcance del programa. Por eso, busque a un líder apasionado por el discipulado de los varones.

4. **Reclute al equipo de trabajo:** Dios está moviéndose en los corazones de los varones. Está llamándolos a que defiendan sus creencias, sean fieles en su andar con Cristo, a sus familias e iglesias. Por eso, debe reclutar a un equipo de trabajo que esté dispuesto a organizar este ministerio. Sugerimos que organice una actividad o congreso que impulse el ministerio. La experiencia nos ha enseñado que el ministerio tiene que estar bien organizado, bajo el liderazgo de gente creíble, con propósitos claros para que mantenga el interés de los varones.

5. **Adiestre al equipo de trabajo:** Para esto tiene el *Manual de certificación de liderazgo de los Edificadores de Vida*. Los líderes certificados, a su vez, adiestrarán a otros de sus miembros. Todos los que completen el adiestramiento recibirán la certificación del 1er nivel.

6. **Organice un estudio para los líderes:** Use Fundamentos de los Edificadores de Vida o Santiago: rumbo al discipulado, junto con este manual. El estudio usará el modelo de discipulado transformador para fomentar la amistad, la pasión misionera y dar paso a la multiplicación de otras células. El éxito del ministerio depende de que guíe a sus líderes a través de este discipulado.

7. **Separe la fecha para el lanzamiento del ministerio:** Tan pronto su equipo de trabajo esté adiestrado deles el visto bueno para que inicien el ministerio. Este lanzamiento será el modelo para las futuras asignaciones de otros líderes. Recuerde que el pastor/la pastora o su repre– sentante siempre está invitado a los servicios.

8. **Inscriba su ministerio** con los Edificadores de Vida Internacionales en las Oficinas Interna– cionales de la Iglesia de Dios. Al final del manual encontrará la solicitud. También puede visitar la página electrónica: coglifebuilders.com.

9. **Escoja y prepare a los líderes de las células:** Prepárelos con la estrategia del discipulado transformador.

10. **Inicie los grupos pequeños** (sección 8)

11. **Planifique una actividad de promoción.**

12. **Inicie las reuniones mensuales de los Edificadores de Vida:** La reunión ordinaria es importante para levantar y darle impulso al ministerio. Además, facilitará la confraternización y la comunicación. Por lo menos debe reunirse una vez al mes. De lo contrario perderá el interés de la gente.

13. **Inicie los compañeros de oración del pastor/la pastora:** La reunión mensual se presta para la puesta en marcha de los compañeros de oración del pastor/la pastora. Este programa es detallado en la sección recursos.

Resumen

Los chinos tienen muchos refranes hermosos. Uno dice: "No temas seguir poco a poco". Tenle miedo a quedarte quieto". No podemos darnos el lujo de esperar. Estamos en una batalla por la salvación de los varones. Vivimos en un mundo caído, pero Dios es más poderoso. Con el poder de Cristo un buen equipo de líderes puede arrebatarlos de las garras de Satanás y ayudarlos a que descubran el plan de Dios para sus vidas y familias. Los protegemos del dolor y la tristeza del pecado. Los ayudamos a ser ministros excelentes.

Creemos que ganaremos la batalla, siempre y cuando adiestremos y equipemos a los varones para el ministerio. ¡Esta misión rinde fruto! Ah, claro que tenemos otro proverbio chino: "El mejor mo– mento para plantar un árbol ocurrió hace veinte años… el siguiente es ahora".

¡Comencemos!

SECCIÓN 3

Proyecto de los Edificadores de Vida (en detalle)

Preguntas y asuntos importantes

Un repaso de la historia del ministerio de varones revela que casi siempre ha girado en torno las actividades. Este enfoque es problemático.

En primer lugar, no podemos depender de actividades las veinticuatro horas, los siete días de la semana. Tarde o temprano tenemos que "bajar de la cima" y convivir con nuestras vidas, familias, trabajos, comunidades y congregaciones. Hasta la entrega gloriosa de la Ley en el Sinaí tuvo su momento: «… y no como Moisés, que ponía un velo sobre su rostro para que los hijos de Israel no fijaran la vista en el fin de aquello que había de desaparecer» (2 Co 3: 13).

El segundo problema es que el Nuevo Testamento no indica que la iglesia viviera absorta en actividades. Aunque hubo grandes acontecimientos (Pentecostés, el encuentro de Pablo con Jesús en el camino a Damasco), la iglesia creció en el devenir cotidiano: «Y el Señor añadía cada día a la iglesia los que habían de ser salvos» (Hch 2: 47).

¿Atrae su templo a los varones?

Esta pregunta suena tonta, pero piense, ¿cuál es el mensaje que recibe el varón que entra por primera vez (o en las siguientes)?

Empecemos por lo básico: el aspecto y la decoración del templo. ¿Es demasiado femenina? ¿Qué colores predominan? Un líder salió corriendo del baño de una iglesia. ¿Por qué? Era tan femenino que pensó que estaba en el lugar equivocado. Casi siempre, las hermanas se encargan de la decoración y a veces no toman en cuenta los gustos de los varones.

Luego, pasemos a la congregación. ¿Cuál es el tipo de vestimenta? Aunque la respuesta varía, es importante que esté consciente de la cultura en donde ministra. En los Estados Unidos está de moda la vestimenta informal. Los lugares de trabajo ya no son tan estrictos con sus códigos de vestimenta, pero no puede decirse lo mismo de las iglesias.

Pasemos a la música. La mayoría de la música cristiana en el mercado es una canción de amor a Dios. Aunque el cristianismo es una religión motivada por el amor a Dios, este tipo de lenguaje a veces limita la participación de los varones.

También, tome en cuenta la predicación. La mayoría de los ministros está acostumbrada a los sermones de "tres puntos y una conclusión". Pero los varones prefieren concentrarse en una cosa a la vez, pasando por alto los otros dos argumentos (y el resto de las digresiones).

Por último, ¿cuánto valora la iglesia a sus varones? ¿Será que solamente quieren su tiempo, talento y dinero? Los varones quieren ir más allá de las tareas. No se conforman con hacer las cosas mecánicamente.

Las iglesias se enorgullecen de ser de todo para todos (1 Co 9: 22). Cada una tiene un código de comunicación con los varones. ¿Cuál es el suyo?

Discipulado: la puerta

La teología pentecostal y la Iglesia de Dios están de acuerdo con que la vida cristiana trata sobre algo más que un seguro contra el infierno. Antes, los hermanos decían: "Doy gracias a Dios por haberme salvado, santificado, bautizado en el Espíritu Santo y traído a la Iglesia de Dios". Cada uno de esos sucesos marca un hito en el andar cristiano.

Pero antes hay que trazar un camino que cubra esos hitos. El discipulado debe ser la clave de su ministerio. Jesucristo nos dejó el patrón de su vida y ministerio, como vemos a continuación:

1. Jesús, Dios, vino a la tierra e invirtió tres años en sus seguidores.

2. Jesucristo resucitó de los muertos e impartió la siguiente orden: «Por tanto, id y haced discípulos a todas las naciones, bautizándolos en el nombre del Padre, del Hijo y del Espíritu Santo, y enseñándoles que guarden todas las cosas que os he mandado. Y yo estoy con vosotros todos los días, hasta el fin del mundo» (Mt 28: 19-20). Nuestra misión es hacer discípulos.

3. El Día de Pentecostés, los apóstoles recibieron el bautismo (y poder) del Espíritu Santo para que cumplieran la misión. Al final comprendieron la naturaleza de la misión de Jesús en la tierra, como vemos en el sermón de Pedro. El discipulado los preparó para el recibimiento del poder.

Todo indica que el plan sigue igual: Jesús ordena que hagamos discípulos. El discipulado es la puerta hacia el ministerio, sobre todo el de los varones.

Aunque no quieran que los supervise, pero deben internalizar la presencia de Dios y comprender: «En mi corazón he guardado tus dichos, para no pecar contra ti» (Sal 119: 11). Ese proceso es el discipulado.

De lo superficial a la profundidad

La idea del progreso implica que cada persona está en un punto distinto en su vida cristiana. Cada varón está en un punto particular de su andar con Dios. Esto incluye tanto a los miembros fieles como a los están siendo evangelizados. ¿Acaso no se supone que los llevemos a una relación más profunda y cercana con Dios? ¡Seguro! Pero primero tiene que ministrar a su necesidad presente y

16

llevarlos poco a poco a esa "profundidad". Su ministerio debe girar en torno a ir de lo superficial a la profundidad.

Como bien dijéramos al principio, las actividades por sí solas no conforman un ministerio. Sin embargo, pueden ser parte del proceso de discipulado, aun para aquellos que todavía no han aceptado a Cristo. Empero, cada varón las percibirá de acuerdo con el lugar en donde se encuentran en su caminar con Dios. Una actividad deportiva no tendrá el mismo atractivo de un estudio bíblico que requiera un compromiso semanal. (¡Tal vez el partido ponga a prueba la santificación!)

Este manual ofrece muchas sugerencias. Algunas actividades son "generales", es decir, orientadas a los nuevos creyentes; otras son más "profundas". De esta manera los acercará a Dios. La idea es que sean una herramienta ministerial.

Tan pronto haya organizado su capítulo, dedíquese a conocer las necesidades de sus varones. Como líder sentirá la tentación de proclamar, "así dice el Señor…", e imponerles un programa. Pero pronto descubrirá que lo que pensó que venía "de parte del Señor", no incluía a los varones para llevarlo a cabo.

Una buena idea para atender sus necesidades es que les entregue un cuestionario sobre sus dones espirituales. Esto nos lleva a una pregunta importante: ¿por qué son diferentes los varones? ¿O yo?

Tal vez se ha preguntado, ¿por qué somos tan distintos si todos hemos recibido a Cristo como Salvador y tenemos al Espíritu Santo? ¿Por qué el sermón provoca reacciones diferentes? Lo cierto es que Dios ha dotado a cada uno con dones ministeriales que deben trabajar en armonía. ¡La salvación no produce clones! Nótese que *trabajamos en armonía en medio de la diferencia*. Cada parte del cuerpo ejerce su función por el bien del todo.

La tarea más grande en la iglesia es el hacer discípulos de Cristo. Una parte importante del crecimiento es la preparación y participación en el ministerio. El Espíritu Santo imparte sus dones para que sea eficaz.

Edifique un ministerio eficaz

La función del pastor/la pastora

Su pastor o pastora juegan un papel crucial en los logros de su ministerio. Su actitud, apoyo, amistad y colaboración es vital para dirigir y promover el programa. Tiene la oportunidad de influir en los miembros para que colaboren con la misión de la iglesia. Sus responsabilidades son:

- Iniciar la selección de los líderes y el equipo de discipulado. Puede utilizar todos los recursos disponibles para este fin.
- Supervisar el proceso de discipulado y la capacitación del equipo. Jesús dio el ejemplo

cuando llamó y capacitó a los discípulos (Mc 3: 13-19). Recuerde que su equipo desarrollará a otros líderes para el futuro.

- Guiar la planificación de las metas y el trabajo del grupo.

- Fomentar la participación en el ministerio de la iglesia.

- Organizar un equipo de compañeros de oración.

- Patrocinar las actividades, tanto locales como el distrito, estado y nación.

El pastor, o el delegado de la pastora,
siempre será un miembro honorario
de las reuniones de los Edificadores de Vida.

Establezca una misión y visión.

Jesús dijo:
Toda potestad me es dada en el cielo y en la tierra. Por tanto, id y haced discípulos a todas las naciones, bautizándolos en el nombre del Padre, del Hijo y del Espíritu Santo, y enseñándoles que guarden todas las cosas que os he mandado. Y yo estoy con vosotros todos los días, hasta el fin del mundo (Mt 28: 18-20).

La visión es ir a cada nación, persona y convertirla en una discípula de Cristo: «El discípulo no es superior a su maestro; pero todo el que sea perfeccionado, será como su maestro» (Lc 6: 40). Dios desea que cada ser humano sea salvo, sirva a Cristo fielmente y sea transformado a su imagen y semejanza.

Los fieles seguidores de Jesucristo son mejores maridos, padres, líderes, miembros, etc. Nuestra misión es hacer discípulos.

El discipulado de los varones no ocurre al azar. La iglesia típica tiene más damas que varones. Muchos pastores y pastoras no creen que deban remediar este problema. No tienen un ministerio concreto para evangelizarlos.

Sin embargo, los estudios demuestran que la salvación de un hombre es crucial para ganar al resto de la familia. El 17% de las mujeres logra que su familia se convierta a Cristo. El 31% de los niños evangeliza a su familia. Pero el 94% de los hombres trae a toda la familia. Otros estudios demuestran que son cruciales para la transmisión de la fe a la próxima generación.

La importancia de un liderazgo sólido

Este ministerio no gira en torno a una persona, pero tenga por cierto que el líder es vital para su éxito o fracaso. Sus aspiraciones determinarán el alcance del programa.

Nueve características del líder:

1. **Da testimonio:** El líder debe haber nacido de nuevo, estar transformado por la gracia de Dios, salvo y apasionado por Jesucristo. Debe estar dispuesto a compartir su testimonio de la gracia transformadora de Dios. Claro, nadie es perfecto. Recomiendo que cada líder es–criba su testimonio para compartirlo en un minuto. Dios lo usará para tocar a muchas vidas. Los varones se sienten aislados y sin esperanza. Dios lo usará para transformarlos. Testifi–que con estas preguntas sencillas:

   a. ¿Cómo vivía antes de venir a Cristo?
   b. ¿Cómo vino a Cristo?
   c. ¿Cómo ha cambiado su vida y familia?

Compártalos con su equipo y sus hermanos en Cristo. De esa manera los ayudará a ver una esperanza para sus vidas en Jesucristo.

2. **Un discípulo:** Un buen líder tiene que dar el ejemplo. El discipulado va más allá de las actividades y los currículos. Antes bien, es andar cerca de Cristo, demostrándolo por medio del cambio en su vida.

3. **Un estudioso de la Palabra:** Los estudios indican que la Palabra de Dios es fundamental para el crecimiento espiritual. No se trata de un sermón, sino del estudio de la Palabra.

En primer lugar, debe comprenderla que es la Palabra de Dios. Aunque es bueno leer libros sobre la Biblia, es más importante que la lea por su cuenta y preste atención a la voz del Espí–ritu Santo. Crea que tendrá un encuentro con Dios. Recomiendo que siga el método inductivo y deje que el Espíritu Santo cambie su vida.

Lea y estudie la Biblia. Su fe y pasión crecerán. Será más sensible al Espíritu Santo. Amará más a los demás. Lea el Salmo 119 sobre el poder de la Palabra. Haga las tres preguntas: ¿Qué dice, significa y debe hacer?

El apóstol Pablo dice: «Toda la Escritura es inspirada por Dios y útil para enseñar, para redargüir, para corregir, para instruir en justicia, a fin de que el hombre de Dios sea perfecto, enteramente preparado para toda buena obra» (2 Ti 3: 16-17).

El escritor de Hb dice: «La palabra de Dios es viva, eficaz y más cortante que toda espada de dos filos: penetra hasta partir el alma y el espíritu, las coyunturas y los tuétanos, y discierne los pensamientos y las intenciones del corazón» (4: 12).

«Así que la fe es por el oír, y el oír, por la palabra de Dios» (Rm 10: 17).

«Procura con diligencia presentarte a Dios aprobado, como obrero que no tiene de qué avergonzarse, que usa bien la palabra de verdad» (2 Ti 2: 15).

4. **De oración:** La oración casi siempre es relegada a un segundo plano. Jesús llamó a sus discípulos a que fueran como él. Entonces, los envió a predicar, sanar a los enfermos y a ministrar. Los líderes están en el frente de batalla. Su ingenio no basta para arrebatar las vidas de las garras del diablo. Dedíquese a la oración. Su equipo será bendecido con dones y talentos.

5. **Guiado por el Espíritu Santo:** El Espíritu Santo tiene que capacitarlo para que sea un buen maestro. Su poder es necesario para guiarlos y tocar sus vidas. Sea sensible al Espíritu Santo en cada aspecto de su ministerio.

6. **Un adorador:** Sea el primero que acuda al altar a orar por los hermanos.

7. **Fiel** dentro y fuera de la iglesia.

8. **Apasionado por la evangelización y el discipulado de los varones.**

9. **Que Dios lo forme como líder.**

Reclute a un buen equipo de trabajo

Dios está moviéndose en los corazones de los varones. Está llamándolos a que defiendan sus creencias, sean fieles en su andar con Cristo, a sus familias e iglesias. Por eso, debe reclutar a un equipo de trabajo que esté dispuesto a organizar este ministerio. Sugerimos que organice una actividad o congreso que impulse el ministerio. La experiencia nos ha enseñado que el ministerio tiene que estar bien organizado, bajo el liderazgo de gente creíble, con propósitos claros para que mantenga el interés de los varones.

Bill Bright, fundador de Cruzada Universitaria para Cristo, dice que todo depende del liderazgo. Pat Morley añade que el liderazgo es determinante para la calidad del ministerio.

Su ministerio requiere un grupo de líderes comprometidos a sacarlo adelante. Escoja sabiamente. En el Antiguo Testamento, el rey David tuvo a sus valientes. Jesús reclutó a los Doce y la Iglesia nombró diáconos, ancianos y laicos. Usted necesita un grupo de hermanos que deseen ministrar a los varones. Echemos un vistazo a la estrategia.

Identifique al líder

Hay tres tipos de líderes: activos, en formación y los que sienten el llamado. Esto significa que a veces su compromiso crece a medida que participan en el ministerio.

1. Haga una lista de los varones más respetados en su iglesia:

    a. No tome en cuenta su disponibilidad.

    b. Enfóquese en varones que amen a Dios y quieran evangelizar a otros. Que sigan la dirección de Dios.

    c. Busque a un equipo que esté interesado en formar un ministerio de vanguardia. Ore por la dirección de Dios.

2. Los miembros deben tener uno o más de estas habilidades:

    a. **vendedores:** ser persuasivos para que otros se unan al ministerio. Su entusiasmo es contagioso y trasmiten el espíritu de las posibilidades.

    b. **hacedores:** van al grano y cumplen sus tareas a tiempo.

    c. **administradores:** son coordinadores, planificadores y saben solucionar los problemas. De hecho, planifican para cualquier contingencia. Además, guardan las espaldas de sus compañeros.

Haga una cita con cada uno de los candidatos y compártales su plan para el discipulado de los varones. Invítelos a orar sobre este ministerio. Dígales: "Dios ha puesto en mi corazón el discipulado de los varones y creo que debemos organizar un capítulo de los Edificadores de Vida. Creo que los hermanos se identificarán con usted. ¿Cuándo podemos reunirnos? ¿Está dispuesto a orar por este asunto?". Aunque algunos declinen la invitación, siempre encontrará a un líder dispuesto.

La primera reunión:

1. Separe una hora para la reunión. Así, el trabajo será más productivo. No se extienda más de lo necesario.

2. Prepare su visión para los varones de la iglesia. Recuerde que el fin es ganarlos para Cristo y afirmarlos en la fe. Sea explícito sobre la dirección de este ministerio. Además, sea flexible e incorpore las ideas de sus líderes.

3. Antes de la reunión, responda:

    a. ¿Cuál es el objetivo de este ministerio?

b. ¿Por qué hace falta? (Véase #2)

c. ¿Qué métodos usaremos, cuál es nuestra filosofía?

d. ¿Cómo atraeremos a los varones?

e. ¿Qué actividades y programas podríamos incorporar en nuestro ministerio?

f. ¿Cómo justificamos su existencia?

4. Agenda:

a. Oración (5 minutos).

b. Repaso de la historia del ministerio local hacia los varones (5 minutos).

c. Admita las bendiciones y los errores del pasado.

d. Describa el modelo de los Edificadores de Vida, su énfasis en el discipulado y la evange–
lización de los varones y sus beneficios para la iglesia y comunidad.

e. Describa la situación actual (15 minutos):

- ¿Cómo están los varones?

- ¿Cuáles son sus problemas?

- ¿Cómo debería responder la iglesia?

f. Presente los materiales de los Edificadores de Vida (15 minutos) y su potencial para el
discipulado de los varones.

g. Cierre: "Dios está llamándonos a ministrar a los varones. Les sugiero que dediquemos
tres semanas a la organización del ministerio de acuerdo con los materiales de los Edi–
ficadores. ¿Quién me ayudará?".

Responsabilidades del equipo

Más adelante explicaremos los deberes explícitos de cada miembro del equipo de discipulado.
Aquí presentamos el cuadro de las áreas de su ministerio. Cada uno de sus líderes puede, a su vez,
reclutar a otros ayudantes. Las tareas son:

1. **Coordinación y estrategia:** Está a cargo de la estrategia general del ministerio a largo plazo.
Ayuda a definir la identidad, los temas y las prioridades ministeriales. Participa en la direc–
ción general junto con el líder principal, planificando las conferencias, los seminarios y
eventos.

2. **Comunidad:** Está a cargo de las visitas, ayudándolas a sentirse cómodas, conectadas, inspir

das y transformadas. Los recibe en los cultos de varones. Da seguimiento a los que estén interesados en el ministerio. Se encarga de los anuncios mensuales.

3. **Oración e intercesión:** Está a cargo de la oración por los miembros, planes y actividades. Se encargará de organizar a los compañeros de oración del pastor o la pastora.

4. **Líder de equipo:** Está a cargo de guiar a otros varones hacia la madurez espiritual y la formación de amistades duraderas. Coordina el proceso de discipulado, organiza a los tutores y explora nuevos métodos.

5. **Proyectos y recursos:** Está a cargo de los proyectos de servicio, la búsqueda de los materiales de discipulado, oradores invitados, libros y otros recursos para los cultos y las actividades mensuales.

Siéntase en la libertad de añadir otras posiciones.

Diagrama de los Edificadores de Vida

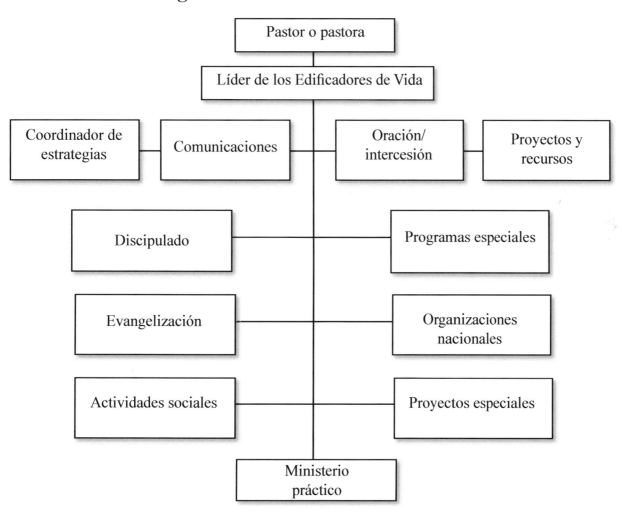

La capacitación del equipo de líderes

Su equipo tiene que recibir el adiestramiento necesario para guiar el discipulado de los varones. Utilice este manual como recurso y certifique a cada uno de sus líderes. Además, organice un estudio bíblico con el modelo de los Edificadores. Así fortalecerá su amistad, sumisión y tendrá un modelo para las células que formará con los varones. Tan pronto complete su adiestramiento, estarán listos para iniciar los grupos pequeños en la iglesia.

Estudios sugeridos:
* Fundamentos de los Edificadores de Vida
* Santiago, rumbo al discipulado

Organice la primera reunión de su equipo

Sus líderes están listos para guiar a otros. Luego, se encargarán de comisionar a otros como líderes de células. Recuerde que el pastor/la pastora o su representante estará presente en la reunión. Siga este tipo de agenda:

1. **Presente la visión:** Explique los objetivos del ministerio.

2. **Aclare el propósito:** ¿Por qué hace falta?

3. **Vincúlelo con la visión de la iglesia:** Demuestre que su ministerio contribuirá a la visión de la iglesia.

4. **Resalte los beneficios:** No se trata de segregar a la iglesia, sino de desarrollar al máximo las habilidades de los varones.

5. **Explique el compromiso:** Sea claro sobre sus expectativas, el tiempo y los fondos que necesitarán para este proyecto.

Comience las reuniones mensuales de los Edificadores de Vida:

La reunión es importante para organizar e impulsar el ministerio. También, sirve para fomentar el compañerismo y la discusión sobre el desarrollo del ministerio. Entiéndase que estamos refirién–donos a reuniones mensuales. De lo contrario perderá el interés de los hermanos.

Una reunión provechosa

Esta reunión debe tener un fin explícito, satisfacer a los varones. De lo contrario, no apoyarán sus actividades. Recuerde que Cristo es el modelo para cada cristiano; por lo tanto, prepare un pro–grama edificante. Sea creativo.

Uno de los objetivos es el discipulado y la capacitación ministerial de los varones. El secreto del éxito es que ofrezca varios programas. Dios quiere edificarlos para su reino. Su Espíritu viene a los seres humanos. Cada actividad debe tener un énfasis espiritual y girar en torno a Cristo para que los varones crezcan espiritualmente y encuentren su ministerio en la iglesia.

No estamos refiriéndonos a una reunión formal. Sabemos que algunas de las actividades no tendrán un énfasis espiritual, como los deportes, trabajo, viajes especiales, etc. Sin embargo, fomentan el respeto y la comprensión mutua, lo que a su vez, genera un espíritu de equipo y edifica el carácter de cada persona. También, úselos para invitarlos a otras actividades de índole espiritual.

Establezca el ministerio de los compañeros de oración del pastor o la pastora
Véase la sección 9 de este manual.

Adiestre a los maestros de las células
Véase la sección 8 de este manual.

Lista de Cotejo

(Úsela para medir el progreso de su ministerio e identificar las mejoras y el crecimiento).

1. ¿Cuenta con el apoyo pastoral?

2. ¿Tiene claras su misión y visión?

3. ¿Ha recibido el segundo nivel de la certificación de los Edificadores de Vida?

4. ¿Seleccionó al equipo de los Edificadores de Vida?

5. ¿Adiestró a su equipo en el nivel I?

6. ¿Están los líderes involucrados en el discipulado transformador?

7. ¿Ya tuvo su primera reunión?

8. ¿Ha inscrito su capítulo de los Edificadores de Vida?

9. ¿Ha seleccionado y preparado a los líderes de las células?

10. ¿Separó las fechas de las reuniones mensuales?

11. ¿Comenzó los grupos celulares?

12. ¿Cómo está marchando el grupo de oración por el pastor/la pastora?

13. ¿Ha entablado un sistema de comunicación (correo electrónico, folletos, página electrónica, mensajes de texto, etc.)?

14. ¿Qué actividades ha organizado para promover el ministerio?

15. ¿Cuál es el porciento de la participación en las células?

16. ¿Ha celebra sus victorias?

Involucre a los varones en los ministerios

Nada es tan frustrante como la falta de motivación de los varones. Tienen que involucrarse en la vida y los ministerios de la iglesia. Pero además de emocionarlos, debemos brindarles oportuni–dades de servicio.

Este manual no incluye todas las oportunidades disponibles para los varones. Su plan de discipulado no debe limitarse a estos ministerios. Usted debe descubrir las oportunidades únicas de su área, ya sea rural o urbana. Busque la dirección de Dios y aprovéchelas.

SECCIÓN 4

Planificación y promoción del programa

Primer paso: Reúnase con su pastor o pastora y discutan de qué manera los Edificadores de Vida pueden atraer a los varones a las células. No se trata de segregarlos de las damas, sino de hacer discípulos que participen en la misión y vida de la iglesia. Discuta las oportunidades para reclutar a otros varones.

También, preséntele el plan de oración y solicite sugerencias para modificarlo a las necesidades actuales de la iglesia. Conversen sobre las distintas maneras en que el ministerio puede bendecir a la iglesia y dar fruto con el discipulado. Recuerde que la amistad es crucial para este proceso.

El calendario de la iglesia ofrece muchas oportunidades para que fomente el interés en el ministerio de los varones. Por ejemplo:

1. Ministración en el altar: Los Edificadores de Vida deben aprender a ministrar en el altar. Cada varón que reciba la ministración será un candidato para el grupo. Esa oración ungida por un problema familiar, sanidad, etcétera, crea un vínculo espiritual que es vital para el discipulado. Los miembros tienen una responsabilidad como líderes espirituales. El altar cambia, transforma y levanta las cargas. Proponemos que dos veces al año prepare a sus varones para esta tarea. El objetivo es organizar un equipo que cubra todos los servicios del altar.

2. Las dedicaciones de bebé son ideales para comunicarse con los nuevos padres, quienes desean ser mejores. Ayúdelos a crecer en el Señor y en sus habilidades paternales. Los Edificadores pueden ser sus mentores.

3. Aproveche cada culto para familiarizarse con los varones que no están en el proceso de discipulado. La experiencia enseña que debe comenzar con una amistad. Las células los capacitarán para que evangelicen y oren por los perdidos.

4. Entable una relación con los varones que estén a punto de casarse.

5. Visite a los que están de luto. Practique el ministerio de estar presente y deje que el Espíritu Santo ministre su consolación a los enlutados.

6. Organice días de trabajo en el templo y aproveche para fortalecer la relación entre los varones.

7. Organice actividades deportivas como partidos de pelota, fútbol y torneos de pesca. Algunas iglesias organizan barbacoas. La idea es atraer a los varones al ministerio.

8. Organice actividades para la comunidad.

9. Prepare invitaciones para que sus varones inviten a otros a las actividades.

10. Organice un desayuno especial de Semana Santa.

¿Qué es el desayuno de Semana Santa?

- ¿Quiere que sus varones aprendan a relacionarse con gente que no ha recibido a Cristo como Salvador?

- ¿Quiere darle vida a su ministerio?

- ¿Quiere involucrarlos en la evangelización?

- ¿Quiere involucrar a las iglesias del área?

- ¿Quiere ver a decenas de varones comprometerse con Cristo?

Su respuesta: ¡El desayuno de Semana Santa!

Esta actividad anual es celebrada el sábado de gloria a través de los Estados Unidos. El propósito es invitar a varones no creyentes a que escuchen un testimonio poderoso y acepten a Cristo.

La Semana Santa ofrece una oportunidad única, porque los corazones están más receptivos al evan–gelio. Organícese para que tenga un éxito sin precedentes. Aprovece para evangelizar a los varones que jamás asistirían a la iglesia. Esta actividad es celebrada a través de los Estados Unidos, Canadá, las Bahamas y en otros países. Los predicadores son empresarios, atletas, jueces, gobernadores y otros funcionarios electos, artistas, nombres que atraen a la gente. Los resultados son excepcionales y miles de varones han recibido a Cristo como su Salvador personal.

Damos fe de lo que Dios hace a través de este desayuno. La iglesia crecerá a media que dé segui–miento a los nuevos convertidos. Estos completan una tarjeta con su información personal y son asignados a una de las iglesias patrocinadoras.

Busque la Guía de planificación del desayuno de Semana Santa en la sección 10.

Equipos misioneros

Las misiones deben surgir de los intereses y las habilidades de sus varones. Por ejemplo:

- Un equipo que asista a los ancianos jubilados y las viudas con reparaciones en sus casas, patios y otras tareas difíciles. De esa manera, rendirán un servicio y se involucrarán en la misión.

- Organice un viaje misionero de ayuda humanitaria para bendecir a otros pueblos. Su equipo también resultará bendito.

Los ministerios de oración

Los Edificadores deben establecer un ministerio de oración. Dios se mueve a través de la oración. Sus miembros crecerán en su fe. Organice un culto semanal y exhórtelos a orar diariamente.

Actividades mayores

Planifique dos actividades anuales grandes. El fin es atraer a los varones de la comunidad por medio de un evento cultural. Su asistencia aumentará al menos en un 50%. Lo importante es que sepa darles seguimiento.

Comité de bienvenida y ministerio de ujieres

Los ujieres deben recibir a las visitas al culto y entablar una relación amistosa con los varones.

Varones de legado

El programa de Legado procura que los varones se conviertan en mentores de niños y jóvenes para guiarlos en la fe y obediencia a Cristo. Durante los próximos dos años trabajaremos en las siguientes campañas:

- Padres cristianos: enero de 2015
- Discipulado familiar: mayo a junio de 2015 (piloto 2014)
- Royal Rangers y los Edificadores: septiembre de 2015

Semana de reclutamiento

Este ministerio está fundado sobre la cooperación con el ministerio del pastor y la pastora. Los grupos dedican una semana al año para reclutar miembros, activar a los que se han alejado y ayudar a organizar otro capítulo en una iglesia vecina.

Domingo de logros

Hay que reconocer a los varones por su dedicación al ministerio. Vemos su participación en la evangelización personal, los proyectos comunitarios y misioneros y en la oración.

Hay que reconocer a los que trabajan por el Reino. De este modo, inspiraremos a oros a involucrarse en el ministerio.

Sea cuidadoso con la planificación del servicio para que ninguno sea pasado por alto. Un descuido puede ocasionar un daño irreparable.

Este día tan especial tiene dos propósitos:

- El reconocimiento de los miembros más destacados en el ministerio y la iglesia.

- Honrar a los varones y enfatizar su importancia en la iglesia.

Día pastoral

Los Edificadores de Vida están a cargo de la campaña del día del pastor y la pastora. Si desea más ideas y materiales, visite nuestra página electrónica: www.coglifebuilders.com.

A continuación, aparece una lista de las razones por las que debemos honrarlos:

- La Palabra enseña que debemos honrar a quien lo merece (1 Ti 5: 17). Los ancianos que dirigen bien los asuntos de la iglesia son dignos de doble honra, especialmente aquellos que enseñan y predican la Palabra.

- Los pastores tienen la gran responsabilidad de ayudar a los creyentes a descubrir el plan de Dios para sus vidas y a crecer en la madurez para cumplirlo en el Reino.

- El reconocerlos es una gran bendición dado su nivel de tensión. Satanás anda «… como león rugiente, anda alrededor buscando a quien devorar» (1 P 5: 8). La familia pastoral está en su mirilla, porque sabe que también será un golpe contra la congregación. Considere estas estadísticas:
    o 1.500 pastores en los Estados Unidos abandonan el ministerio cada mes.

    o El 80% de los pastores y el 85% de sus cónyuges están desanimados.

    o El 71% dice que está agotado y deprimido.

    o Solamente 1 de cada 10 ministros llega activo a la edad del retiro.

- Su pastor o su pastora están a cargo del rebaño de Dios. Esto significa que alimenta, protege, conduce y brinda atención para el rebaño.

Celebre el día y ministerio pastoral. Su pastor es una persona especial: líder, guía espiritual, com–pañero en el discipulado y un amigo. Por ende, reconozca su trabajo públicamente. La comunidad verá su respeto hacia su pastor o pastora.

La planificación de este día no tiene que ser complicada. Organice un comité y delegue las tareas para que todo salga bien. Invierta su tiempo en la preparación de una variedad de expresiones de agradecimiento. Visite nuestra página y encontrará más ideas: www.coglifebuilders.com.

Promoción del día del padre

Los Edificadores también deben honrar a los padres. Visite nuestra página y vea las opciones de regalos a bajo costo. Como parte de esta celebración, invitamos a las familias a que celebren un culto durante el período entre el día de las madres y de los padres. Esta campaña ha sido denominada Discipulado en Familia (véase la sección 6).

SECCIÓN 5

Conferencias y oportunidades de adiestramiento

Conferencia de adiestramiento para líderes
Conferencia de certificación de líderes
Sesiones de mesa redonda
Conferencia de legado
Confraternizaciones
Retiros para matrimonios y familias
Ancianos

Conferencia de adiestramiento para líderes

- Comprenda el proceso de hacer discípulos.
- Descubra el método para desarrollar un ministerio eficaz.
- Desarrolle una estrategia de evangelización.
- Desarrolle líderes para el discipulado de los varones.

Conferencia de certificación de líderes

El objetivo es adiestrar a los líderes para que tengan éxito con su ministerio local. Los participantes obtendrán una certificación para que, a su vez, adiestren a otros hermanos en su iglesia.

Sesiones de mesa redonda

Estas sesiones tienen como fin el adiestramiento de los equipos de Edificadores para la evangelización y el discipulado de los varones. La conferencia aborda cuatro áreas:

1. El problema: la batalla por las almas de los varones.

2. La formación del equipo de líderes.

3. Los métodos para alcanzar a los varones.

4. El discipulado de los varones.

La conferencia es informativa e interactiva. Los varones trabajarán juntos en el desarrollo de un plan para la evangelización y el discipulado de su iglesia y comunidad. Esta conferencia reúne los criterios para el primer nivel de la certificación de los Edificadores de Vida.

Varones con una misión

Los Edificadores cumplen su labor misionera a través de Varones con una Misión. Los proyectos son seleccionados de acuerdo con la necesidad. Entonces, los varones son reclutados, entrenados, organizados y enviados a completar la misión necesaria: discipulado, evangelismo, proyectos de construcción y reparación, ayuda humanitaria, etc. Este ministerio es una colaboración con Misiones Mundiales, Hombres y Mujeres de Acción, la Comisión de capellanía y los estados misioneros.

Es recomendable que los líderes viajen junto a un equipo para que aprendan las destrezas necesarias para su próxima misión.

Conferencia de legado

Esta conferencia está diseñada para equipar a los varones como mejores maridos y padres para Dios. ¡Una reunión para los varones! La fibra moral de nuestra sociedad es débil. ¿Dónde están los varones de Dios? La conferencia de legado los confrontará con la verdad de la Palabra de Dios, su presencia, perdón y liberación. Saldrán motivados y capacitados para el liderazgo. Descubrirán:

- Los rasgos de un buen esposo y padre.
- Los problemas específicos de la madurez cristiana.
- El discipulado de los varones en la iglesia local.
- El llamado al ministerio.

Cultos de adoración

Un servicio de adoración diseñado para provocar un encuentro con Cristo en el altar.

Actividades de confraternización

En la Biblia encontramos muchos ejemplos de comidas comunales. Este tipo de actividad puede llevarse a cabo por sí sola o como parte del culto. Puede ser un rato ameno, informativo e inspirador. Invite a los varones que hayan estado visitando la iglesia, recién convertidos o amigos del evangelio.

Adiestramiento para ancianos

El *Manual del ministerio de los ancianos* lo ayudará a iniciar este tipo de obra en su iglesia. Véase la sección 14.

Compañeros de oración del pastor/la pastora

El programa de oración por el pastor o la pastora puede comenzar en el culto mensual. Véase la sección 9 de este manual.

SECCIÓN 6

Campaña de discipulado familiar

Cada familia de la Iglesia de Dios es invitada a celebrar el altar familiar una vez a la semana, a partir del día de las madres y culminando en el día de los padres.

Nuestra misión

1. Que las familias desarrollen el hábito del altar familiar.
2. Que las familias vean el discipulado como un estilo de vida.
3. Que las familias sean avivadas y sanadas.
4. Que cada miembro de la familia haga discípulos de Jesucristo.
5. Que cada mujer y varón comprometan su casa a servir al Señor.
6. Que las madres y los padres funjan como líderes espirituales.
7. Que cada familia fortalezca sus creencias.

Hemos preparado una serie de recursos que estarán disponibles a través de nuestra página electrónica.

SECCIÓN 7

Adiestramiento para el discipulado
(Para el grupo de sus varones)

Discipulado 100

Los varones que completen los siete libros de la serie Discipulado 100 recibirán un certificado de reconocimiento de parte de la Oficina de Discipulado Internacional de los Edificadores de Vida. Recomendamos que celebre un servicio de reconocimiento.

- *Fundamentos de los Edificadores de Vida*
- *Santiago, rumbo al discipulado*
- *Filipenses, rumbo al gozo*
- *Hombría al Máximo*
- *Valor*
- *Salvaje de corazón: Descubramos el secreto del alma masculina*
- *La Oración, Aliento de Vida*

Discipulado 200

Los varones que completen los siete libros de la serie Discipulado 200 recibirán un certificado de reconocimiento de parte de la Oficina de Discipulado Internacional de los Edificadores de Vida. Recomendamos que celebre un servicio de reconocimiento.

- *Nunca se Rinden*
- *Integridad Sexual*
- *Hombre de Verdad*
- *El Poder Del Potencial*
- *Tesoro*
- *Comunicación, Sexo, y Dinero*
- *Hombres Fuertes en Tiempos Difíciles*

Varones en una misión

Varones en una misión es el brazo misionero de los Edificadores. Un proyecto es seleccionado de acuerdo con la necesidad. Luego, los varones son adiestrados para que completen la misión necesaria (p. ej. discipulado, evangelización, proyectos de construcción y reparación, ayuda humanitaria, etc.). Este ministerio es una colaboración con Misiones Mundiales, la Comisión de Capellanía, Hombres y Mujeres de Acción y los estados/regiones misioneras.

Es recomendable que los líderes participen en uno de los viajes de los Edificadores para que desa–rrollen las destrezas que necesitarán para dirigir sus proyectos misioneros.

Certificado en estudios ministeriales (CIMS, por sus siglas en inglés)

Acerca del programa:

Los varones que sienten el llamado al ministerio pronto descubren que es difícil el matricularse en una universidad o seminario y a la vez, cumplir con sus responsabilidades financieras y familiares. Por esto, la Iglesia de Dios ha instituido el Certificado en estudios ministeriales (CIMS), el cual está diseñado para que cada persona estudie a distancia o en un centro de adiestramiento ministerial.

Este programa consta de 20 cursos, para un total de 35 créditos académicos. De los 35 créditos, 34 son necesarios para obtener el certificado. Este plan es ofrecido a los ministros y laicos que desean servir en su iglesia.

Los estudios a distancia:

Usted puede completar el Certificado en estudios ministeriales desde la comodidad de su casa.

Estos estudios dinámicos incluyen algunas de las tecnologías más avanzadas de Internet, tales como secuencias de vídeo, audio y texto.

Para más información visite www.ministerialtraining.org.

Capellanía de servicio comunitario

Muchos capellanes comunitarios son los primeros que responden en la hora del desastre. Si desea más información, visite www.tiacsc.com.
La Asociación Internacional de Capellanes Comunitarios ofrece un curso intensivo de tres días. El fin es que aprenda a servir en su comunidad. Fuera de las puertas de su iglesia encontrará gente sufriendo, sola, en crisis o indigente. El proceso de instrucción incluye una variedad de ayudas visuales, juego de roles, discusiones y trabajos en grupos pequeños y con el resto de la clase. El propósito es que aprenda los conceptos más importantes y las habilidades para servir a la comunidad. Los estudiantes asistirán a sus pastores y pastoras en la labor de ministrarle a los que sufren en sus alrededores. El seminario cubre varios temas de interés para el ministerio dentro y fuera de la iglesia.

Movilización: Desarrollo del liderazgo local

Para más información, visite www.cogdoe.org/Mobilize-local-Leadership-Development.

El programa de adiestramiento de laicos ha sido exitoso. Por años, los pastores y las pastoras han testificado de los resultados de la formación ministerial de sus líderes.

Movilización es un programa de doce meses que inspira, equipa y adiestra a los líderes locales.

El Nivel I es una combinación de estudio independiente de la Biblia y temas de liderazgo junto con los seminarios mensuales impartidos por su pastor o pastora, y tareas ministeriales dentro de su congregación. El Nivel 2 continúa el mismo proceso, pero esta vez con la especialización en una de las once áreas del ministerio.

Discipulado 300

Discipulado 300 es un programa de formación ministerial impartido por los Edificadores de Vida y otros ministerios de la Iglesia de Dios.

Operación Compasión

Visite www.operationcompassion.org

Misión

Operación compasión tiene tres prioridades: responder a los desastres naturales a nivel nacional y alrededor del mundo; inspirar, informar, capacitar y facilitar los recursos para que iglesias, grupos e individuos socorran las necesidades básicas de los pobres y necesitados; socorrer a las viudas, madres solteras y niños del resto del mundo.

Programas

- **Red de respuesta a desastres en los Estados Unidos:** Proveemos agua embotellada, alimentos, artículos de limpieza, materiales de construcción, etc.; coordinamos los trabajos de las iglesias, agencias y Gobierno para socorrer a las familias.

- **Compasión Estados Unidos:** red urbana socorre a los pobres y marginados que viven en las ciudades más grandes de los Estados Unidos, mediante la coordinación de redes de colaboración entre asociaciones cívicas, líderes comunitarios, distritos escolares, departamentos de policía, de bomberos, recreación y deportes, iglesias y agencias locales.

- **Sueño de Estados Unidos:** red indígena suministra alimentos, agua y material educativo a las reservas de nativos en el oeste de los Estados Unidos, dándole prioridad a los niños y las viudas.
- **Esperanza de Estados Unidos:** red de los Apalaches distribuye alimentos, comidas calientes, adiestramiento laboral y mano de obra entre los niños, padres solteros, las viudas y los adultos que viven en una de las regiones más pobres del país.

- **Red global de compasión:** ayuda humanitaria en los países en vías de desarrollo (suministros y equipos médicos, libros, ropa, alimentos y juguetes) para niños, viudas y ancianos.

Hombres y Mujeres de Acción

Su misión es reclutar a creyentes para que demuestren el amor de Cristo a través de obras voluntarias, tales como construcción, respuesta inmediata a desastres y ayuda humanitaria alrededor del mundo. De esa manera serán más eficaces y fructíferos en la Gran Comisión.

Para más información, visite www.cogmwoa.org

SECCIÓN 8

Grupos de discipulado transformador

Dr. David H. Gosnell
Coordinador de Discipulado de Varones

Aproveche bien el tiempo

INVITE A LOS VARONES AL GRUPO

Escoja a cuatro o cinco varones para su grupo. Incluya al menos un creyente maduro y uno nuevo. Su objetivo es claro: que cada miembro crezca en Cristo Jesús, descubra y cumpla el llamado de Dios para su vida. Este grupo está enfocado en la transformación, el crecimiento y la participación plena de cada miembro en el discipulado. Así podrán hacer discípulos.

ANÍMELES A USAR EL MATERIAL

Es importante que cada hombre tenga su libro de estudio. Creemos que la participación de los miembros y el intercambio de sus pensamientos enriquecen la experiencia y el estudio en grupo. Su estudio en privado será un estímulo para que profundicen en su relación con Dios.

CREE UN AMBIENTE AGRADABLE

Sea creativo. Organice las mesas de tal modo que el uno quede frente al otro. Así se sentirán parte de la discusión. Evite los asientos estilo teatro. Después de la discusión, ofrezca café y fomente la conversación informal. Déjelos que lo ayuden a limpiar para que sientan que son parte del grupo.

FORMATO

Las células son organizadas de distintas maneras. Las reuniones son celebradas en varios lugares y horarios. Tome en cuenta estos factores a la hora de organizar su programa. Adapte los materiales de estudio a su situación particular.

Formato recomendado

- Confraternización/testimonios/historias
- Oración de apertura
- Discusión: oración por los perdidos (use la tarjeta de los diez)
- Discuta el material de la lección semanal
- Alabanza y peticiones de oración
- Oración (10 minutos)

Pasos que conducen a una célula transformadora

1. Conozca a los miembros del grupo.

2. Fomente la participación de sus miembros:

   a. el discipulado no es una clase.

   b. crea que todos participarán.

   c. haga preguntas.

   d. despierte su interés en la próxima reunión.

   e. minimice y elimine las situaciones embarazosas y amenazantes.

   f. sea confidencial.

3. El proceso

   Contenido: la Palabra de Dios

   Cuidado pastoral

   Compromiso y rendición de cuentas

   Constancia: dé el ejemplo

   Prepárese: demuestre la importancia del estudio

   Partes: estudio, oración, compañerismo y rendición de cuentas

4. Rendición de cuentas/mayordomía

   No acepte malas decisiones ni justificaciones. Esté alerta.

   ¡No juzgue!

   Ore por el grupo.

   Conviértase en su mentor/haga discípulos.

   Sea genuino, real, santo, humilde.

   Confíe en Dios.

Por último, sepa que tal vez no logre responder todas las preguntas. No hay problema. Lo importante es que el grupo se comprometa a estudiar el material por su cuenta. Si no le da el tiempo, empiece la próxima sesión con las preguntas más importantes de la lección anterior. Resista la tentación de pasarse de la hora. Sea respetuoso para que el grupo regrese a la próxima sesión.

LA PRIMERA REUNIÓN

La primera reunión debe comenzar con una oración. Luego, pídale a cada miembro que se presente y comparta un poco de su familia, vida espiritual y otra información personal.

Acto seguido, lleve a cabo la **ceremonia de firma de pacto** (véase el documento adjunto). Sea el primero en firmarlo como señal de su compromiso e invitación a rendir cuentas mutuamente.

Por último, revise el plan de estudios. Explique la taba de contenido y el modelo de cada una de las lecciones. Recuerde que el currículo es una herramienta que da estructura al discipulado. Las herramientas no hacen discípulos. El Señor nos usa para que hagamos discípulos.

Concluya con una oración.

LA REUNIÓN SEMANAL

Usted debe utilizar los primeros 10 minutos para fomentar el compañerismo y que cada uno hable sobre su vida personal. Luego, pregunte si alguno está dispuesto a orar por la reunión.

Los próximos 15 minutos deben dedicarse a la oración por los familiares y amigos queridos. Si no tienen amistades impías, dedíquese a hablarles y a orar sobre la manera en que pueden entablar ese tipo de relación. Utilice la tarjeta de los diez nombres. Cada hermano debe anotar los nombres por los cuales orará hasta que sean salvos. Quizá quiera ayudarse con una silla vacía que represente a estas personas. Oren por las tarjetas en cada reunión.

Los próximos 45 minutos están dedicados a las preguntas sobre el material de estudio. Anímelos a hacer preguntas sobre el material. No los presione con la aplicación personal.

Usted debe participar de lleno en las discusiones. Sea transparente. Hable sobre sus luchas, preocu–paciones y confesiones de pecado. Su ejemplo los ayudará a profundizar en su relación con Dios. La confianza surge poco a poco. Sea prudente sobre la manera en que decide honrarla.

Utilice los 10 minutos finales para compartir testimonios y peticiones de oración por las necesidades del grupo.

El facilitador

Como líder, jugará un papel importante en la exposición del mensaje transformador. Sin embargo, antes que nada debe ser un amigo y siervo. No le corresponde el juzgarlos. Cree un ambiente seguro en donde se sientan en la libertad de explorar honestamente su relación con Jesús. Sea un modelo de Cristo al preocuparse por los pensamientos, las preguntas y luchas de los miembros.

Como líder, no necesita un entrenamiento especial ni experiencia para organizar un grupo. No tiene que ser un maestro; de hecho, es preferible que no enseñe. Su trabajo es facilitar la conversación abierta, libre de prejuicios y a tiempo. Sea el primero que hable con franqueza sobre las cosas que Dios está revelándole y dispóngase a aprender de sus hermanos en Cristo. Usted también será edificado al presentarse con un espíritu humilde y un corazón abierto.

Consejos para guiar la discusión

Estos consejos lo ayudarán a mantener la conversación. Su labor como moderador es importante para el éxito de su grupo. Léalos con calma y repáselos con uno de sus miembros para que, al final de la reunión, lo ayude a evaluarse.

Ore

Ore a Dios por sabiduría, un buen oído y la paz que sobrepasa todo entendimiento. Ore por un espíritu de poder, amor y dominio propio (2 Ti 1: 7).

Las preguntas

La guía de estudio contiene preguntas encaminadas hacia el discipulado. No dude en reformularlas de acuerdo con sus necesidades. Dele seguimiento a sus preguntas para que la discusión sea una conversación. Por ejemplo: "explícate", "¿puede dar un ejemplo?", "¿por qué?", "¿está seguro?", "¿cómo le ha funcionado?". Permita que el resto de la clase exprese su opinión.

Escuche

Aprenda a escuchar. No se preocupe por su respuesta. En cambio, escuche y responda a cada persona. No hable demasiado. El silencio es saludable. Deje que el Espíritu Santo ministre y guíe la conversación. Ore en silencio para que Dios lo ayude a dirigir la reunión.

Su opinión

Deje su opinión para el final de la discusión. Así evitará que algunos se queden callados. Siempre diga: "¿Qué opinan ustedes?".

La diferencia entre afirmar y avalar

Como líder, afirme a sus participantes: "Gracias por tu comentario". No los critique aunque su comentario haya sido hostil, tonto o ridículo. En cambio, diga: "Bueno eso es interesante. ¿Qué opinan los demás?". La crítica intimida a los participantes. Pierden el entusiasmo de aprender. Pero tampoco caiga en el error de avalar todos los comentarios. No diga: "Buen comentario" o "totalmente de acuerdo". No deje que los demás sientan que sus comentarios son inaceptables. Además, resista la tentación de responder todas las preguntas. Si se convirtiera en un sabelotodo, nadie participaría. Sea humilde con sus opiniones: "en mi experiencia…" o "pienso que…".

Control de grupo:

¿Qué debe hacer con la persona difícil, dominante o habladora? En primer lugar, sea amable con los habladores y dígales: "Buen punto pero escuchemos a los demás". O sea más enfático: "Quiero que todo el mundo tenga la oportunidad de expresarse". Además, si alguien persistiera en acaparar la atención del grupo, llámelo aparte y dígale: "Veo que tienes muchas ideas, pero me gustaría que me ayudaras a despertar el interés de los demás. ¿Podrías ser más breve con tus comentarios? Creo que puede ayudarme".

Miembros desmotivados:

¿Qué debe hacer con los que nunca participan en la clase? Diga: "Fulano, ¿qué opinas sobre esto?". Toda esta información puede ser abrumadora (sobre todo si es la primera vez que está a cargo de un grupo), pero no se preocupe. Lo importante es que ame a cada miembro y deje que el Espíritu Santo se encargue del resto.

Las tarjetas de oración están disponibles a través de nuestra página: cooglifebuilders.com/life-buildersforms.

Grupos de discipulado transformador

Pacto 1

<u>PRIORIDAD:</u> La reunión del grupo será mi prioridad. Siempre informaré al líder sobre cualquier tardanza o ausencia.

<u>PREPARACIÓN:</u> Comprendo que debo prepararme y estar dispuesto a participar en cada lección.

<u>RESPETO:</u> Todo el mundo tiene derecho a ser escuchado con respeto. No interrumpiré a los demás.

<u>CONFIDENCIALIDAD:</u> No divulgaré los secretos compartidos en la reunión. Este grupo es un espacio para la franqueza sin temor a represalias.

<u>HONRADEZ:</u> En cuanto me sea posible seré honesto, transparente y vera con el grupo.

<u>APOYO:</u> Velaré por la misión y los valores del grupo y me abstendré de las murmuraciones o críticas.

FIRMA   FECHA:

_____

_____

_____

_____

_____

_____

Grupos de discipulado transformador
Pacto 2

Dado que este programa tiene como fin el ayudarme a crecer en Cristo, me comprometo a:

1. Completar las tareas semanales y estar listo para la discusión en grupo

2. Asistir a las reuniones semanales por espacio de una hora y media.

3. Presentarme en oración ante el Señor para que obre en mí durante este período de discipu–lado.

4. Contribuir a un clima de confianza, confidencialidad y vulnerabilidad personal en un espíritu de respeto y exhortación mutual.

5. Orar seriamente sobre mi participación en ayudar a con el discipulado de otros dos hombres el año entrante.

FIRMAS: FECHA:

_____

_____

_____

_____

_____

_____

Diez personas que necesitan la salvación

1.

2.

3.

4.

5.

6.

7.

8.

9.

10.

Diez personas que necesitan la salvación

1.

2.

3.

4.

5.

6.

7.

8.

9.

10.

SECCIÓN 9

Compañeros de Oración del Pastor y la Pastora

Agradecimientos

En reconocimiento al pastor David Bishop
y a los compañeros de oración
de la Iglesia de Dios de Westmore,
quienes inspiraron este proyecto.

Obtenga este libro a través de:

Discipulado de Varones de la Iglesia de Dios
www.coglifebuilders.com
888-766-9009

Compañeros de oración del pastor y la pastora
Tabla de contenido

Compañeros de oración del pastor y la pastora

Resumen

A. ¿Quiénes son los compañeros de oración del pastor y la pastora? Un grupo de intercesores por:

- su pastor o pastora

- los líderes

- la congregación

- los ministerios de la iglesia

B. ¿Cómo funciona este ministerio?

El pastor o la pastora están a cargo de nombrar al líder del grupo. Éste se encargará de pre–parar un boletín mensual, los desayunos de oración y el retiro anual del grupo. Además, cada semana nombrará a un capitán que estará a cargo de dirigir la oración en la oficina pastoral.

Los compañeros de oración deben comprometerse a:

- Orar sin cesar.

- Separar un domingo al mes para orar en la oficina pastoral.

- Separar una semana al mes para orar por la iglesia (antes del domingo mensual).

- Cada uno separará un día al mes para orar por su pastor o pastora (el mismo día, cada mes, durante todo el año).

- La reunión del domingo es una oportunidad para escuchar las preocupaciones pastorales, imponerle las manos y orar para que reciba una unción fresca. También, orarán a lo largo del servicio. Cada domingo reciben una agenda de oración. El ministerio de comunicaciones puede facilitarles una copia del mensaje.

C. ¿Quiénes son los miembros?

Cualquier varón que pertenezca a una de las células de los Edificadores de Vida, entre otros varones de la iglesia. El pastor o la pastora escogerán a sus compañeros de oración.

D. ¿Qué hace este ministerio? Por un año:

1. Comprometerse a orar.

2. Asistir a un máximo de cuatro desayunos de oración.

3. Participar en el retiro anual.

II. Pasos preliminares

En primer lugar, presente el programa durante una de las reuniones con sus varones. Más adelante, encontrará una muestra de la carta que debe enviar para esta reunión.

Antes de la reunión, el pastor o la pastora deben haber nombrado al coordinador. Éste debe ser un intercesor dispuesto a estar a cargo del grupo por un año. Su título será, coordinador de los compañeros de oración y sus responsabilidades fueron descritas al principio del manual.

Durante la reunión, los presentes deben compartir sus cargas sobre este ministerio de oración.

III. Reunión
A. Introducción

Los discípulos reconocieron el valor de la oración y pidieron a Jesús que les enseñara a hacerlo (Lc 11: 1). La oración todavía es necesaria. Debemos centrarnos en buscar la voluntad de Dios en todo y creer que nos contestará. Mt Henry dijo: "Cuando Dios quiere algo grande con su pueblo, lo manda a orar".

La Palabra declara:
• «Clama a mí y yo te responderé, y te enseñaré cosas grandes y ocultas que tú no conoces» (Jr 33: 3).
• «Y todo lo que pidáis en oración, creyendo, lo recibiréis» (Mt 21: 22).
• «Por tanto, os digo que todo lo que pidáis orando, creed que lo recibiréis, y os vendrá» (Mc 11: 24).
• «… pues nada hay imposible para Dios» (Lc 1: 37).
• «Si permanecéis en mí y mis palabras permanecen en vosotros, pedid todo lo que queráis y os será hecho» (Jn 15: 7).

B. El enfoque

1. Los varones deben aprender a orar tal y como dice la Palabra:

      a. creyendo que Dios responderá las oraciones.

      b. creyendo que hará más de lo que pidamos.

2. Tienen que meditar en las promesas del Señor.

C. Movilice a los varones

1. Presente al coordinador de los compañeros de oración.

2. Discuta los requisitos para cada miembro:

    a. que tenga una relación personal con Dios y quiera servirle.

    b. que desee ser parte del grupo de oración.

    c. que desee entablar una amistad personal con su pastor o pastora y ser el primero en conocer sus cargas, visiones, necesidades y resultados.

    d. que esté dispuesto a servir por un año el grupo de intercesores.

D. Detalles del programa

Cada miembro del grupo tendrá un día asignado para orar por los pastores y la iglesia (si iene menos de treinta miembros, asígneles más de un día). Ese día se dedicará a orar por el pastor o la pastora, pero también puede hacerlo en otros momentos.

Un domingo al mes, cinco varones se reunirán con su pastor o pastora para orar en su oficina. Allí escucharán tanto testimonios como sus peticiones y sus metas.

Acto seguido, deben imponerle las manos y orar por él o ella. Además, permanecerán en oración hasta el final del servicio.

El programa depende del coordinador y el capitán de oración. También es importante que entreguen un resumen de las necesidades de esa semana. De esa manera podrán concentrarse en la intercesión.

1. Funciones del coordinador:

    a. asigna los días de oración.

    b. asigna al capitán de oración para cada domingo.

    c. distribuye las listas de peticiones cada domingo.

    d. coordina el desayuno trimestral de oración y el retiro anual.

    e. resuelve cualquier situación que interrumpa el horario de las oraciones.

2. Funciones del capitán:

    a. dirige al grupo de oración el domingo asignado.

    b. presenta el tema de oración para ese domingo.

    c. varía los métodos de oración y adoración, según sea necesario, añadiendo lecturas bíblicas, cánticos, oraciones en concierto y necesidades específicas.

3. Recursos:

    a. el bosquejo del sermón.

b. el programa de actividades y las peticiones de los niños.

c. una lista de las peticiones de oración de la iglesia.

d. los miembros del grupo compartirán sus peticiones de oración.

e. otros recursos.

E. La implementación

1. El desayuno de oración: el grupo se reunirá con el pastor o la pastora cuatro veces al año (trimestral) para:

   a. desayunar juntos.

   b. adorar juntos.

   c. meditar sobre la importancia de la oración.

   d. escuchar los testimonios.

   e. orar los unos por otros.

   f. orar por su pastor o pastora.

2. El retiro (véase la sección de apéndices para modelos del programa).

El grupo celebrará un retiro anual que incluirá: alimentos, confraternización, estudio y oración.

F. Conclusión

El programa de los compañeros de oración es una oportunidad emocionante para ministrar y crear una aTiósfera de bendición. Además, sirve como un campo de entrenamiento para el liderazgo espiritual de los varones.

¡Oremos!

Anécdota: Wilbur Chapman cuenta su primera visita a iglesia. Un anciano se acercó para decirle: "Eres más joven de lo que esperaba. Me temo que no saldrás adelante si no oro por ti. De hecho, he acordado hacerlo junto con otros dos hermanos". Ese grupo de oración creció de 10 a 20 a 50 y luego, 219 personas que oraban por su pastor. Era un ambiente diseñado para la predicación. En tres años alcanzaron mil conversiones, seiscientos de los cuales fueron varones.

La oración por su pastor o pastora (Ef 6: 10-18)

Su carácter
«... fortaleceos en el Señor y en su fuerza poderosa» (Ef 6: 10).

Medite en la grandeza de Dios en su lugar (Rm 8: 28, 31, 37, 1 P 3: 12).

Pida discernimiento de las asechanzas del diablo (Ef 6: 11-12).

Reclame las promesas de protección general (Is 54: 14-17; Sal 34; Sal 91; Lc 10: 19; 1 Co 10: 3-4).

Ore por un espíritu de convicción (2 Co 11: 14; 1 Jn 4: 1).

Vida privada
«Estad, pues, firmes, ceñida vuestra cintura con la verdad, vestidos con la coraza de justicia» (Ef 6: 14).

Ore que su gloríe solament3e en la cruz (Ga 6: 14).

Ore por su renovación constante (Is 40: 27-31) y santidad (1 P 1: 16).

Pida una visión clara de los méritos de Cristo (Flp 3: 7-10), contentamiento (1 Ti 6: 6) y que el amor de Dios sea derramado en su corazón (Rm 5: 5).

Vida personal
«Estad, pues, firmes... vestidos con la coraza de justicia» (Ef 6: 14).

Interceda por su cónyuge, hijos y familia (Sal 37: 25; 91: 9-12).

Cancele en el nombre de Jesús todos los ataques en su contra (Mt 16: 19).

Remueva por fe todos los obstáculos contra su salud y prosperidad (Mc 11: 23; Flp 4: 19).

Alabanza
«... y calzados los pies con el celo por anunciar el evangelio de la paz» (Ef 6: 15).

Desate un espíritu de alabanza sobre su vida (Mt 4: 10).

Ate el espíritu de temor (Jn 14: 1), de las tinieblas (Is 61: 3), de la negatividad (2 Ti 1: 6-7), de distracción (Ecl 5: 1-2).

Oración
«Sobre todo, tomad el escudo de la fe, con que podáis apagar todos los dardos de fuego del maligno» (Ef 6: 16).

Apague en el Espíritu Santo todos los dardos de la duda (Mc 6: 5-6).

Reprenda todas las distracciones durante su tiempo a solas con Dios (Mc 5: 36).

Desate las fuerzas del cielo para que lo socorran en la oración (Mc 1: 35; Hch 1: 14).

Ministerio
«Tomad el yelmo de la salvación, y la espada del Espíritu, que es la palabra de Dios» (Ef 6: 17).

Escúdelo del temor a los seres humanos (Pr 19: 23; Is 11: 1-3).

Otórguele favor con la denominación (Pr 18: 16) y sus compañeros y compañeras en el ministerio (Pr 11: 4).

Suplique que Jesús le imparta su verdad (Pr 4: 20-27) y sabiduría en el liderazgo (St 1: 5).

Predicación
«Orad en todo tiempo con toda oración y súplica en el Espíritu, y velad en ello con toda perseverancia y súplica por todos los santos...» (Ef 6: 18).

Que Dios bendiga su estudio bíblico (Hch 6: 4; 2 Ti 2: 15).

Que reciba audacia (Col 1: 28) y oportunidades (Col 4: 3-4) para predicar a Cristo.

Que el Espíritu Santo unja su predicación y enseñanza (Lc 4: 18; 1 Jn 2: 27) para que obtenga resultados apostólicos (Hch 2: 37), señales y prodigios (Mc 16: 20) y revele la verdad (Mt 16: 17).

Perseverancia
«... y la espada del Espíritu, que es la palabra de Dios» (Ef 6: 17).

Que lleve fruto duradero (Mal 3: 11; Jn 15: 16).

Declárele firme (1 Co 15: 58), con visión audaz (Is 41: 10), descanso (Mt 11: 38; Hb 4).

Dé gracias por su llamado y dones (Col 1: 3-5).

Infúndale valor (Jos 1).

«Pelea la buena batalla de la fe...» (1 Ti 6: 12).

Espere en oración.

Apoye a su pastor y pastora en oración

Sométase a la dirección del Espíritu Santo sobre otras áreas de intercesión.

Amén

Renewal Ministries, Inc., P.O. Box 8254, College Station, TX 77842. Usado con permiso.

La función de los compañeros de oración

¿Quién es?

Dispuesto a comprometer valioso tiempo y energía a un programa de oración conti–nua organizada por el pastor piadoso laico.

¿Cuáles son sus características?

Comprometido con Dios y deseoso de servirle.

Interesado en ser parte del ministerio de oración.

Dispuesto a tener una relación personal con su pastor o pastora.

Fiel al ministerio.

¿Cuáles son sus deberes?

Orar por su pastor, pastora e iglesia una vez al mes.

Orar con su pastor o pastora un domingo al mes.

Asistir a los desayunos de oración.

Asistir al retiro anual del ministerio.

¿Qué resultados espera?

Que la oración sea una prioridad.

Mejorar el ministerio personal.

Prepararse para el liderazgo espiritual.

Provocar la presencia de Dios.

RECURSOS

Modelo de carta para los invitados al ministerio de oración

(Fecha)

(Nombre y dirección)

Estimado:

El propósito de mi carta es invitarlo a ser parte del ministerio de **Compañeros de oración del pastor o la pastora**. Nuestra oración es que treinta y un varones (uno por cada día del mes) acepten este llamado. Usted ha sido incluido en este reclutamiento y esperamos que se comprometa por un año.

A continuación encontrará una lista de las expectativas:

1. Orar en la oficina del pastor o la pastora un domingo al mes.
2. Reunirse con el ministerio cuatro veces al año para desayunar, estudiar y orar juntos.
3. Comprometerse a orar por el ministerio de nuestra iglesia y sus líderes.
4. Desarrollar su ministerio de oración personal.

Ore al respecto y responda con el formulario adjunto a la mayor brevedad posible. El domingo, (fecha) a las (hora) tendremos una reunión de orientación en la que puede tomar su decisión final.

La oración forja un vínculo especial entre los creyentes. Me encantaría ser su compañero. ¡Lo necesito!

Juntos en Cristo,

(Nombre del pastor o la pastora)

Gabinete con letra inicial a compañeros de oración del Pastor potencial

COMPAÑEROS DE ORACIÓN DEL PASTOR

(Nombre de la iglesia)

FORMULARIO DE RESPUESTA

NOMBRE _____

DIRECCIÓN _____

_____

TELÉFONO _____

CORREO-E _____

Estoy dispuesto a comprometerme a participar en el programa de los compañeros de oración del pastor o la pastora.

No puedo participar de este ministerio este año.

Me gustaría recomendar a los siguientes hermanos:

_____

_____

_____

_____

Modelo de carta de aceptación del ministerio de oración

(Fecha)

(Nombre y dirección)

Estimado (nombre):

Me alegra que haya aceptado la invitación a la reunión del domingo, (fecha) (tiempo), sobre el ministerio **Compañeros de oración del pastor y la pastora**. La reunión será llevada a cabo en (ubicación). Ese día hablaremos sobre los planes para este ministerio.

Matthew Henry dijo: "Dios pone a su pueblo a orar para darle su gracia". Creo que el Espíritu Santo está en este asunto. Además, creo que (la ciudad) está preparada para un avance espiritual y deseo que (nombre de la iglesia) sea parte de esa obra.

Gracias por su interés. Espero verlo el (fecha).

¡Qué Dios lo bendiga!

En Cristo,

(Nombre del pastor o la pastora)

Adjunto (agenda de la reunión organizativa)

COMPAÑEROS DE ORACIÓN DEL PASTOR Y LA PASTORA

Reunión de organización

(Fecha)

Bienvenida .... *(Pastor/pastora)*

Presentaciones .... *(Pastor/pastora)*

Explicación del propósito del ministerio .... *(Coordinador)*

Resumen .... *(Pastor/pastora)*

Preguntas y respuestas

Clausura .... *(Coordinador)*

Refrigerios

COMPAÑEROS DE ORACIÓN DEL PASTOR Y LA PASTORA

(Recordatorio reunión)
(Fecha)

Recordatorio amistoso (del pastor/pastora ___)

Quiero recordarle la reunión organizativa del ministerio de compañeros de oración del pastor y la pastora, este domingo por la tarde (fecha)
(Tiempo)
(Lugar).

El objetivo es explicarle los objetivos del ministerio de los compañeros de oración.
Dios hará grandes cosas a través de este ministerio.
Lo esperamos.

Carta para los que no respondan a la invitación

(Fecha)

(Nombre y dirección)

Estimado (nombre):

Hace unos días le envíe una carta para compartirle la carga que siento por iniciar un ministerio de oración. Lo invité a que fuese parte de este grupo durante un año.

El compromiso implica que una vez al mes ore en la oficina pastoral, cuatro veces al año sea parte de un desayuno de planificación junto a sus compañeros, que ore por sus pastores, los líderes y el ministerio de la iglesia y que desarrolle su disciplina de oración.

Hasta ahora no he recibido su respuesta. Me gustaría que me contestara lo más pronto posible. Adjunto encontrará la hoja de respuesta.

Gracias por haber orado al respecto. Espero verlo pronto.

¡Qué Dios lo bendiga!

En Cristo,

(Nombre del pastor o la pastora)

Carta de respuesta negativa

(Fecha)

(Nombre y dirección)

Estimado (nombre):

Gracias por haber respondido a la invitación a ser parte del ministerio de oración por los pastores. Lamento que no pueda acompañarnos en esta ocasión.

Comprendo que su agenda al momento no permite que tome otro compromiso. Sin embargo, ore por este ministerio para que Dios lo use poderosamente a favor de su iglesia.

¡Reciba la gracia del Señor!

En Cristo,

(Pastor/pastora)

Compañeros de oración del pastor y la pastora
AGENDA DESAYUNO DE TRABAJO
(Fecha)

Bienvenida .... (Pastor/pastora)

Invocación .... (Socio de oración seleccionada)

Desayuno

Preguntas y respuestas .... (Un hermano)

Cánticos .... (Un hermano)

Enseñanza sobre la oración .... (Pastor/pastora u otra persona)

Tiempo de oración

Peticiones .... (Coordinador)

Oraciones dirigidas .... (Pastor/pastora)

Anuncios

Clausura .... (Un hermano)

Programa retiro de un día

COMPAÑEROS DE ORACIÓN DEL PASTOR Y LA PASTORA

(Lugar)

(Fecha)

8:00   **Inscripción y confraternización** .... *café y donas*

8:30   **Bienvenida** .... *Coordinador*

         Anuncios .... *pastor/pastora*

         Devoción .... *Un hermano*

         Alabanza y adoración .... *Un hermano*

9:00   *** Oración en privado** .... *Un hermano*

9:45   *** Oración por la familia** .... *Un hermano*

10:30 **Receso**

10:45 **Alabanza, adoración y testimonios** .... *Coordinador de oración*

11:00 *** Oración por su líder** .... *Pastor/pastora*

11:45 **Almuerzo**

12:30 **Alabanza y adoración** .... *Un hermano*

12:45 *** Oración por la iglesia** .... *Un hermano*

1:30   **Receso**

1:45   **Testimonios**

2:00   *** Oremos los unos por los otros** .... *Un hermano*

2:45 **Asuntos finales** .... *Pastor/pastora*

3:00 Clausura .... *Coordinador*

* Deje de 20 a 30 minutos para la enseñanza y de 15 a 25 para la oración.

Programa retiro de mediodía

Compañeros de Oración del Pastor y la Pastora

(Lugar)　　　　　(Fecha)

8:00　**Inscripción y confraternización** .... *café y donas*

8:30　**Resumen del día & bienvenida** .... *Pastor/pastora*
　　　Reflexión .... *coordinador*

　　　Alabanza y adoración .... *un hermano*

　　　Devoción .... *un hermano*

9:00　*** Oración por cada familia representada y miembro** .... *un hermano*

9:45　*** Oración por la iglesia** .... *un hermano*

10:20　**Receso**

10:30　**Alabanza, adoración y testimonios** .... *un hermano*

10:45　*** Oración los unos por los otros** .... *Pastor/pastora*

11:20　**Almuerzo**

12:00　**Alabanza y adoración** .... *un hermano*

12:10　*** Oración por el líder** .... *un hermano*

12:45　**Palabras finales** .... *Pastor/pastora*

1:00　**Clausura** .... *un hermano*

* Deje de 20 a 30 minutos para la enseñanza y de 15 a 25 para la oración.

Los fundamentos de la oración

Aconteció que estaba Jesús orando en un lugar y, cuando terminó, uno de sus discípulos le dijo: Señor, enséñanos a orar, como también Juan enseñó a sus discípulos (Lc 11: 1).

Nota: Lo único que los discípulos pidieron a Jesús.

Texto: Mateo 6: 5-15

I. La persona de oración (vv. 5-8)

No seas como los... (v. 5)
¿Por qué?
No seas como los... (v.7)
Pero... (vv. 14-15)
¿Por qué?

II. El procedimiento de la oración (v. 6)

El tiempo
El lugar
La privacidad: hombres que pasaron tiempo a solas con Dios (Mc 1: 35; 6: 46-47).
La persona: mencionada seis veces en los versículos del 6 al 9
La promesa

III. El problema de la oración (vv. 5, 7)

¿Cuál es el problema planteado en el versículo 5?
¿Por qué?
¿Cuál es el problema planteado en el versículo 7?
¿Por qué?

IV. El modelo de la oración (vv. 9-13)

El proceso de la oración

La oración eficaz del justo puede mucho (Santiago 5:16).

I. El hábito

A. Problemas:

1. Tiempo
2. Rutina
3. Falta de propósito

B. Preguntas:

1. ¿Está dispuesto a romper sus hábitos viejos y a formar nuevos?
2. ¿Tiene el poder para hacer estos cambios?
3. ¿Está dispuesto a aprender otras formas de oración?
4. ¿Estás dispuesto a hacer los cambios necesarios?

II. El hábito de la oración

A. Primeros pasos:

1. Admita que lo necesita
2. Decídase
3. Afírmese
4. Renueve su concepto de la oración
5. Cambie su punto de vista

B. Resultados

Deléitese en la oración

Lección bíblica: Mateo 21: 12-16

La oración surte un efecto increíble en nuestro mundo. Las fortalezas caen, las barreras son derribadas y cosas grandes ocurren. Así sucede en la vida personal, las iglesias y los esfuerzos concertados de oración. Por eso debe ser una delicia. Examinemos un ejemplo bíblico.

I. Jesús purificó el templo
(Echó fuera a los cambistas)

II. Jesús convirtió el templo en una casa de **oración.**
    A. La oración es un **deseo.**
    B. La oración es una **disciplina.**
    C. La oración es **deleite.**

III. Jesús convirtió la casa de **oración** en una **poderosa.**

V. Jesús convirtió la casa **poderosa** en una **alabanza.**

Comentarios

¿Qué visión personal ha recibido de parte del Señor para el ministerio de oración por el pastor/la pastora?

_____

_____

_____

¿Cómo podemos ser más eficaces?

_____

_____

_____

¿Qué lo ayudaría con su tiempo de oración diaria?

_____

_____

_____

¿Qué podemos hacer para que la oración en la oficina pastoral sea más eficaz?

_____

_____

_____

¿Tiene alguna sugerencia para el desayuno y las reuniones?

_____

_____

_____

¿Qué le gustaría ver en el retiro?

_____

_____

_____

¿Qué sugiere para lograrlo?

_____

_____

_____

Nombre de la iglesia

Página electrónica

Correo electrónico

Teléfono

Lista de los Compañeros de Oración del Pastor y la Pastora

(Incluya su información de contacto)

1. Nombre

   Posición

   Información de contacto

2. etc.

SECCIÓN 10

Desayuno de Semana Santa
Introducción

¿Por qué el desayuno una resurrección?

- ¿Quiere que sus varones aprendan a relacionarse con los impíos?
- ¿Quiere darle vida a su ministerio?
- ¿Quiere involucrarlos en la evangelización?
- ¿Quiere involucrar a las iglesias del área?
- ¿Quiere ver a decenas de varones comprometerse con Cristo?

Su respuesta: El desayuno de resurrección

Esta actividad anual es celebrada el sábado de gloria a través de los Estados Unidos. El propósito es invitar a varones no creyentes a que escuchen un testimonio poderoso y acepten a Cristo.

La Semana Santa ofrece una oportunidad única, porque los corazones están más receptivos al evangelio. Organícese para que tenga un éxito sin precedentes. Aprovece para evangelizar a los varones que jamás asistirían a la iglesia.

Esta actividad es celebrada a través de los Estados Unidos, Canadá, las Bahamas y en otros países. Los predicadores son empresarios, atletas, jueces, gobernadores y otros funcionarios electos, artistas, nombres que atraen a la gente. Los resultados son excepcionales y miles de varones han recibido a Cristo como su Salvador personal.

Damos fe de lo que Dios hace a través de este desayuno. La iglesia crecerá a media que dé segui–miento a los nuevos convertidos. Estos completan una tarjeta con su información personal y son asignados a una de las iglesias patrocinadoras.

Nuestra visión es que esta actividad ocurra simultáneamente por todo el país. Recomendamos que las iglesias de las ciudades grandes trabajen unidas en la coordinación de un evento de envergadura. Esta actividad de evangelización tiene un potencial increíble. Basta con que cien iglesias abran sus puertas ese sábado para que muchos varones vengan a Cristo. **Únase a nosotros para que sea una realidad.**

Dos cosas que debe hacer:

• Lea las instrucciones.

La planificación del desayuno de Semana Santa es sencilla, pero requiere que preste atención a los detalles. Lea cada una de las recomendaciones hasta que entienda el concepto y los **pasos**. Preste atención a la sección sobre los **materiales gratuitos, disponibles en nuestra página electrónica**. Aquí tratamos de cubrir cada uno de los aspectos de esta actividad.

• **¡Comuníquese con nosotros!**

Discipulado International de Varones está listo para ayudarle. Déjenos compartir nuestra experiencia con usted. Su planificación determina el éxito de la actividad. ¡Hágalo bien! Estamos para responder sus preguntas.

Discipulado Internacional de Varones
Coordinador del Desayuno de Semana Santa
P.O. Box 2430
Cleveland, TN 37320-2430; Teléfono: 423-478-7286; Fax: 423-478-7288;
Correo electrónico: mensdiscipleship@churchofgod.org; www.coglifebuilders.com

Concepto

Este desayuno tiene como fin que los varones inviten a un amigo que no haya conocido a Cristo.

Tenemos tres objetivos. En primer lugar, evangelizar a los varones. En segundo lugar, motivar a los creyentes a que participen en el ministerio. En tercer lugar, queremos tender un puente entre los creyentes y los varones que no sirven al Señor. El investigador George Barna dice que el 85% de los adultos alguna vez tuvo contacto con una iglesia.

Este desayuno incluye un programa de seguimiento para aquellos que acepten a Cristo. El discipulado comienza con la invitación.

Esta actividad puede llevarse a cabo por ciudades, distritos o iglesias locales. **No debe estar a más de 100 km de distancia de sus invitados.** El coordinador regional puede dividirlos por áreas.

Patrocinadores

Cualquier sociedad de varones o grupo de creyentes puede encargarse del desayuno.

Tamaño

El tamaño no es importante, pero sugerimos la meta de evangelizar a cien varones (cincuenta hermanos invitan a cincuenta impíos). Un desayuno grande incluiría de trescientos a setecientos hombres. Una sociedad local podría celebrar una actividad más pequeña, pero lo importante es que la mayoría de los presentes no conozcan a Cristo. **Evite un desayuno para cristianos.**

Ingredientes claves:

- **Cada reunión de planificación debe incluir oración** para que todos sientan la carga por los perdidos.
- **Reclute voluntarios** que sean diligentes y fieles.
- **Invite a un predicador interesante y ungido** que lleve a los varones a un encuentro con Cristo.
- **Insista en que sus hermanos** inviten a un amigo, familiar o compañero de trabajo.

- **Asegúrese de que el predicador haga un llamado de salvación.**
- **Prepare una zona para orar** con los varones que acepten a Cristo.
- **Esté listo para darle seguimiento** (delegue en los hermanos que trajeron a los invitados). Busque nuestros materiales gratuitos en www.coglifebuilders.com.

Únase a otras iglesias

El objetivo es evangelizar a una gran cantidad de hombres. Varias iglesias pueden trabajar juntas en este proyecto.

Uso de nuestros logotipos e ilustraciones

El título de la actividad y sus logotipos son propiedad de Discipulado Internacional de Varones. Todo aquel que use esta guía tiene nuestro permiso para que use las insignias relacionadas con este desayuno. Visite www.coglifebuilders.com.

Pasos

Organice un comité timón

Comience con los hermanos que siempre cumplen sus labores.

La primera reunión

Como líder, comparta su carga sobre la evangelización de los hombres de su comunidad. Haga una oración y presenten a sus conocidos.

Explique el concepto tal y como aparece en esta guía, solicite voluntarios y delegue las tareas.

Asigne las responsabilidades. Escoja a un hermano por cada tarea. Todo depende del tamaño de la actividad. Las tareas son descritas a continuación:

- Finanzas • promoción
- Instalaciones (ubicación) • programa (música y adoración)
- Selección del predicador • ujieres y bienvenida
- Imprenta

Este grupo debe contar con al menos 8 a 10 varones y está abierto a cualquier miembro o líder:

- Miembro del campamento de Gedeón.
- Comité de comerciantes cristianos.
- Comité de atletas cristianos.
- U otro grupo similar.

Organice el comité timón con antelación al resto de los grupos de trabajo para que funcionen co–rrectamente.

Ubicación de las reuniones

Lleve a cabo sus reuniones en el lugar en donde celebrará el desayuno. De esa manera se familia–rizarán con el lugar.

Frecuencia

El comité timón debe reunirse varias veces a solucionar los detalles del evento.

Otras necesidades

- Asigne un secretario que tome las actas de cada reunión y las envíe a los miembros. Además, debe tener una lista de sus direcciones, números de teléfono y correos electrónicos.
- Alguien debe encargarse de los recordatorios de las reuniones.
- Establezca un método para llevar cuentas de los gastos y fondos del desayuno.
- Prepare la agenda de cada reunión.

Seleccione y confirme el lugar en donde celebrará el desayuno

No celebre el desayuno en el templo. Algunos varones no se sienten cómodos con asistir a la igle–sia. Haga lo posible por reservar con tiempo un salón de banquetes en algún hotel u otro lugar, que reúna estos requisitos:

- Calidad aceptable: busque un servicio de calidad.
- Accesibilidad: que todos puedan encontrarlo fácilmente.
- Precio: ofrezca una comida completa y a la vez cubra los gastos. Si la comida cuesta 7.50 por persona, el boleto puede venderse a 10.00.
- Sea cuidadoso con los contratos. Muchos hoteles requieren el pago completo por el número de participantes aunque la asistencia haya sido menor a la esperada. Asegúrese de confirmar los arreglos antes de que envíe la publicidad del evento. **Delegue a un hermano que se encargue de trabajar directamente con un miembro del personal de ese lugar y esté preparado para cualquier situación.**

Invite al predicador

El proceso de planificación ha llegado a su etapa crítica. La selección del predicador es vital para el éxito de esta reunión. Es permisible usar un laico o clérigo. El predicador ideal es un laico, tal vez un atleta que atraerá a los que no conocen al Señor. Busque a alguien que comparta su testimonio y sea breve (20-30 minutos).

No convierta el desayuno es un culto de predicación. Busca a alguien que sepa explicar el plan de salvación. El liderazgo debe orar al respecto y estar de acuerdo sobre el invitado. La reacción del público determinará el éxito del desayuno.

La invitación debe hacerse en persona y luego, por escrito. Aclare los detalles de la ofrenda y la estadía.

Prepare un presupuesto

Más adelante encontrará un ejemplo del presupuesto. Tal vez deba añadir o eliminar ciertas partidas de acuerdo con sus necesidades.

Imprima los materiales de publicidad

Los siguientes elementos deben estar impresos y disponibles para su descarga gratuita.

- Carteles de cuatro colores
- Entradas

Anuncie el desayuno

- Envíe por correo la carta promocional (vea la muestra incluida).
- Ponga carteles en lugares estratégicos.
- Invite a las iglesias del área.
- Invite a los comerciantes y profesionales.

Ideas adicionales

Diseñe un programa de promoción para los empresarios y profesionales. Esto incluye las distintas asociaciones cristianas de hombres de negocios y atletas. Envíeles la promoción del desayuno a través del correo. Asegúrese de incluir su número de teléfono y confirme las entradas, etc. Utilice los medios de comunicación como el periódico, la radio y televisión, revistas y boletines, así como un correo electrónico a los pastores y las pastoras de la zona.

La promoción

Lo siguiente es comenzar la promoción del desayuno. **Programe visitas personales a iglesias, sociedades de caballeros y otros grupos de varones locales.** Lleve sus carteles, explique el con–cepto y comprometa a las iglesias y grupos a que compren mesas.

- **Uso el concepto de entradas "por mesa". Véndalas por la cantidad de asientos** (hasta 10 cada una). Por ejemplo, si una iglesia comprara tres mesas, tendría a 30 varones. Esa iglesia puede desafiar a quince de sus miembros a que inviten a quince hombres que no han conocido al Señor. De esa manera dará ímpetu a la actividad y llenará el salón más rápido. Además, muchas empresas o individuos pueden apadrinar una o más mesas.
- **Enviar cartas publicitarias** (Véase carta).
- **Usar los carteles.**
- **Hacer las llamadas telefónicas.** ¡Llame a todo el mundo! Riegue la voz.
- **Comuníquese personalmente con sus conocidos.** Se recomienda que consulte a todo el mundo que sabe de anunciar esta reunión. Llame a empresarios que animen a otros varones a que asistan a la reunión.
- **Envíe las hojas de inscripción a las iglesias.** Pídales que la publique en el tablón de edictos o en el vestíbulo. Así servirá como un recordatorio para que se inscriban a tiempo.

Active el comité del programa

Seleccione al directo de música y al moderador

Escoja cuidadosamente al director de música, pues tendrá la primera parte. Este hermano debe hacer que los invitados se sientan cómodos y animándolos a cantar, sobre todo a los que no asisten a la iglesia.

Los músicos deben manejar cualquier tarea. Hay que dejarles saber las expectativas. Además, sea claro sobre los acuerdos de paga, cantidad de canciones, etc.

El moderador debe tener un sentido del humor y comunicarse bien. Sin embargo, no debe hablar demasiado.

Preparar el programa

- Bienvenida/saludo/oración
- Comida
- Coros
- Cánticos especiales (1 o 2)
- Presente a los invitados
- Predicador
- Llamado
- Clausura (firmar la tarjeta de compromiso, ofrenda, mencionar las Biblias y tratados si los tiene)

Preparar el salón

- **Imprima un cartel** (si es posible) de 20 a 30 pies (7-10 metros) y colóquelo detrás de la mesa principal con el logo de "Desayuno de Semana Santa" y "Bienvenida".
- **Contrate un buen sistema de sonido.** Muchos hoteles y salones incluyen el equipo. Tal vez pueda usar el de una iglesia. Haga las averiguaciones.
- **Organice la mesa principal.** Prepare tarjetas para cada persona y colóquelas en la mesa con antelación. La mesa principal debe acomodar a doce personas.
- **Solicite mesas numeradas.** De esta manera será más fácil dirigir a la gente.
- **Separe una mesa para los músicos y otros invitados especiales.**
- **Al cierre, recoja las tarjetas de compromiso y los sobres de la ofrenda.**

Otras notas

- Recoger al predicador en el aeropuerto.
- Reservar la habitación de hotel para el predicador.
- Recoger la ofrenda y los donativos de los hermanos para el desayuno del próximo año o dárselos al predicador.
- Cuando haga el llamado, deje que los hermanos oren con sus invitados en sus mesas. Así será más cómodo para las visitas.

Asigne ujieres

Sus ujieres deben encargarse de los boletos, guiar a la gente a sus asientos, distribuir los programas, ayudar con las tarjetas de compromiso, obtener los nombres y direcciones, etc. El comité de bien–venida debe atender a los invitados especiales, sentarlos en las zonas designadas y velar que estén cómodos. Además, deben recoger la ofrenda.

Recursos

Materiales disponibles para su descarga gratuita

- Programa del evento
- Logos
- Entradas
- Cartel
- Tarjeta de compromiso
- Esta guía de planificación
- Formulario de informe
- tarjeta de invitación, http://trinityonlinesolutions.com/contact-info (Nota: no hay costo por la personalización).

Modelo de carta promocional

(Logo **Desayuno de Semana Santa**)

(Fecha)

(Ciudad, estado, código postal)

Estimado líder de varones [si es posible personalice]:
Nos complace informarles sobre una actividad especial que se llevará a cabo en [**la ciudad**]. Se trata del **Desayuno de Semana Santa,** el cual se llevará a cabo el sábado, [**fecha**]. Queremos invitarle a que participe en esta actividad para varones. Usted conoce el reto de entusiasmar a los hermanos para que testifiquen de Cristo. Este desayuno es una oportunidad para que participen en la evangelización de los varones de nuestra ciudad.

El concepto es simple: un desayuno en la mañana del Sábado de Gloria. Los hermanos deben invitar a sus colegas, amigos y familiares que no conocen a Cristo. El predicador será [nombre]. Sabemos que es un testimonio dinámico de la gracia salvadora de Cristo Jesús. Será un momento de celebración y compromiso para que adoremos juntos.

Contamos con usted. ¿Nos ayudará? ¿Está dispuesto a colocar uno de los carteles en el tablón de anuncios y entregarle otro a uno de sus líderes? Si es posible, nos gustaría que desafiara a los hermanos a que compren dos boletos: uno para ellos y otro para sus amigos que no conocen al Señor. Estamos vendiéndoles por mesas. Nos gustaría que comprara una mesa [**cantidad de asientos**] al costo de [**precio**]. Queremos animarlos a que ganen almas para Cristo.

Apreciamos sus oraciones por esta actividad. Déjenos saber cuántos boletos necesitará.

Unidos por su causa,

[Nombre] Comité Timón

Adjunto: cartel, formulario de inscripción

Ejemplo de presupuesto

(Asegúrese de agregar los costos de cualquier artículo que no haya sido incluido en este presupuesto).

1. Gastos del comité timón $_____

2. Decoraciones/escenario (si es necesario) $_____

3. Sonido/grabación $_____

4. Literatura $_____

     a.   carteles $_____

     b.   boletos $_____

     c.   membrete $_____

     d.   sobres $_____

     e.   banner $_____

5. Predicador $_____

6. Música (podría ser donada) $_____

7. Comida del desayuno $_____

8. Comidas gratuitas (predicador e invitados especiales) $_____

9. Llamadas $_____

10. Programa $_____

11. Gafetes/tratados/sobres de la ofrenda $_____

12. Otros $_____

Total $_____

Formulario de inscripción

Comparta al Señor resucitado con los demás

La Semana Santa es una oportunidad histórica para que comparta la vida de Cristo con los varones. Participe en las siguientes actividades de evangelización.

- El espíritu de vida: orar por otros

- La voz de vida: llame a otros

- El viaje de vida: lleve a otros al desayuno

«Yo soy la resurrección y la vida...» (Jn 11: 25). «En él estaba la vida, y la vida era la luz de los hombres» (Jn 1: 4). «Yo he venido para que tengan vida, y para que la tengan en abundancia» (Jn 10: 10).

Participaré en el desayuno:

Nombre _____

Dirección _____

Ciudad/estado/código postal _____

Envíelo a _____

SECCIÓN 11

¡Conéctate!

Discipulado de Varones de la Iglesia de Dios
David H. Gosnell, Coordinador Internacional
P.O. Box 2430
2490 Keith Street NW
Cleveland, TN 37320

www.cogEdificadores de Vida.com
mensdiscipleship@churchofgod.org
888-766-9009/423-478-7286

Visite nuestra página oficial para que obtenga el directorio
de los líderes estatales y regionales.

SECCIÓN 12

El proceso del discipulado: programa, prioridad y productividad

Por Mike Wells

ISBN: 978-1-59684-719-4

Este libro está dedicado a mi madre Shirley Wells, quien me introdujo a la fe cristiana,
a mi esposa Lisa, que me ha apoyado sin vacilación en los últimos veinticinco años de ministerio,
y a mi hija Kristin, una hermosa cristiana.

Una palabra del autor

¿Cuál es la misión de la iglesia cristiana? Esta pregunta ha resonado en los creyentes desde los tiempos de Jesús. Las respuestas varían. En primer lugar, algunos creen que la misión principal es preservar la verdad bíblica y "perseverar en la doctrina de los apóstoles" en medio del engaño espiritual que existe en el mundo de hoy (1 Ti 4: 1; Hch 2: 42). En segundo lugar, otros creen que es suplir las necesidades físicas y materiales de la humanidad. Las Escrituras mandan que alimentemos a los hambrientos, ministremos a los enfermos, vistamos a los desnudos y visitemos a los presos (Mt 25: 35-40). Además, debemos acordarnos de los huérfanos y las viudas en sus tribulaciones (St 1: 27). El apóstol Juan exhorta que ninguno que tenga el amor de Dios puede negarse a atender la necesidad de su hermano (1 Jn 3:17).

Ambas posturas son meritorias, pero Jesús responde a la pregunta de la misión de la Iglesia en el capítulo 28, versículos del 19 al 20 de Mateo:

> *Por tanto, id y haced discípulos a todas las naciones, bautizándolos en el nombre del Padre, del Hijo y del Espíritu Santo, y enseñándoles que guarden todas las cosas que os he mandado. Y yo estoy con vosotros todos los días, hasta el fin del mundo. Amén (28: 19-20).*

Jesús señala que la misión general de la Iglesia es doble: evangelizar al pecador y hacer discípulos. Creo que la Iglesia ha hecho un buen trabajo con la evangelización mundial, pero ha fallado en lo segundo. Este libro ofrece un estudio del discipulado y la manera en que crecemos como discípulos de Cristo. Primero, examinaremos el proceso de convertirse, ser y producir como discípulo. Espero que sea un material útil e instructivo para que, «… creced en la gracia y el conocimiento de nuestro Señor y Salvador Jesucristo» (2 P 3: 18).

—Michael L. Wells

Tabla de contenido

Introducción

PRÓLOGO

Mike Wells ha sido mi amigo cercano por muchísimos años. Desde 1993 hemos trabajado juntos en Desarrollo Ministerial y a lo largo de nuestras vidas hemos compartido viaje como profesores, compañeros, alumnos y pastores. Por lo tanto, lo conozco bien. Mike es un erudito, teólogo, predicador con convicciones profundas sobre la integridad de la Palabra. Sin embargo, es un pastor que ama su congregación, sirviéndole diariamente en la obra y la rutina del ministerio obediente, esforzándose concienzudamente de ayudar a cada creyente a convertirse en un discípulo maduro de Cristo. Maestro y estudiante talentoso de la Palabra que sabe aplicarla, hacerla digerible y nutritiva para el espíritu y alma.

Créame que esta guía de discipulado es la mejor herramienta de crecimiento espiritual que he leído en mi vida. El autor ha cubierto a fondo los aspectos del discipulado bíblico de un modo conciso, sencillo para el nuevo creyente y el maduro. Mike Wells ha realizado este estudio casi narrativa en su presentación, sucintamente siguiendo un sendero bien definido de estudio a lo largo de la ruta del discipulado, haciendo interesante, programa, proceso, prioridad y la productividad histórica paradas en el camino.

El autor explica con sencillez una gran cantidad de pasajes bíblicos usando el lenguaje original. El estudio satisfará a los académicos, pero también es aplicable a la vida diaria. Las ideas están cargadas de verdad e invitan a la meditación. Usted sentirá la tentación de cubrirlo a la carrera. Además, encontrará preguntas y espacios para que compruebe la lectura.

Este manual será el estándar para el desarrollo del discipulado en la Iglesia de Dios. Me atrevo a decir que es el ideal. Puede usarlo en células, clases para nuevos creyentes, sermones, estudios bíblicos o personales. También será útil en el salón de clases. Felicito a David Gosnell, coordinador de Discipulado de varones de la Iglesia de Dios, por haber solicitado este material. Sabemos que edificará a nuestras congregaciones por todo el mundo.

¡Disfrute el viaje! ¡Valdrá la pena!

− Dr. Wayne Flora
Coordinador del PMS, ENC

Introducción

Una persona que está a punto de partir casi siempre habla sobre las cosas que pesan en su corazón. Jesús hizo lo propio a los pocos días de haber resucitado y antes de que ascendiera a los cielos. El capítulo 28, versículos del 19 al 20, de Mateo:

> *Por tanto, id y haced discípulos a todas las naciones, bautizándolos en el nombre del Padre, del Hijo y del Espíritu Santo, y enseñándoles que guarden todas las cosas que os he mandado. Y yo estoy con vosotros todos los días, hasta el fin del mundo. Amén.*

Cristo da un mandato misionero a la Iglesia del siglo I que también, incluye a la del siglo XXI. De una manera concisa indica que la misión es discipular al pueblo de Dios para que testifique al mundo. Por lo tanto, de acuerdo con el mandato cada creyente debe ser un *discípulo*. Raymond Culpepper, obispo presidente de la Iglesia de Dios en 2010 lanzó un desafío a *involucrarse en el mandato misionero* de Mt 28: 19-20. La División de Discipulado ha asumido este desafío de ayudar a todos los miembros para que se conviertan en hacedores de discípulos y discípulas de Cristo. Este libro es parte de esta campaña y durante las próximas cuatro semanas aprenderá a desarrollar un programa de formación de discípulos discípulo. Espero que sienta el compromiso de vivir para Cristo y hacer discípulos.

El programa de hacer discípulos

Bill Hull, autor del libro, *El pastor hacedor de discípulos,* señala que, "el discipulado es la tarea que más fe requiere dentro de la iglesia". Sin embargo, es vital porque es el latido del corazón de Dios. Dios ha entregado el programa de la Gran Comisión. Raymond Culpepper comenta: «La misión es primordial, preeminente, las órdenes de marcha de la Iglesia del Espíritu». Además, dice que Jesús murió por la misión, pero la Iglesia vive para completarla. Al final podremos decir como Jesús, "consumado es", "hicimos como nos mandaste" (Jn 19: 30; 17: 4). Los otros evangelistas también mencionan la Gran Comisión.

¿A quién dice Marcos que debemos predicarle? Lea Mc 16: 15 y escribe la respuesta en el espacio provisto.

_____

¿Cuál es la naturaleza del mensaje que según Lucas, debemos predicar? Lea Lc 24: 46-47 y anote su respuesta.

_____

¿A qué se refiere Jesús cuando dice en Juan 20, 21: «Como me envió el Padre, así también yo os envío»?

_____

Jesús sentó el fundamento del ministerio de los discípulos antes de darles la comisión: dijo: «Toda potestad me es dada en el cielo y en la tierra» (v. 18). *Autoridad* es un poder delegado de 'carácter absoluto y con todos los recursos a su disposición'. En otras palabras, connota un poder activo que trasciende los ámbitos físicos, políticos y espirituales. De modo que salimos a cumplir la Gran Comisión con toda la autoridad de Jesucristo, Rey de reyes y Señor de señores. De lo contrario, la misión de aquel entonces y ahora no hubiera dado resultado.

¿Qué Jesús ordena en Lc 24: 49? Explique en sus propias palabras su efecto sobre el cumplimiento de la Gran Comisión de hacer discípulos.

_____

_____

¿Cómo y en dónde los creyentes recibirían el poder para hacer discípulos, según Hch 1: 8? Explíquese.

_____

_____

Ahora que comprendemos la autoridad que Jesús ha delegado para el mandato misionero, veamos cuál fue el programa de sus seguidores. Mateo 28, del 19 al 20 es el corazón de la Gran Comisión. Estos versículos exponen un plan de acción y la metodología para el cumplimiento de la orden de Cristo. Nótese sus tres elementos: ir, bautizar y enseñar. El mandato es "hacer discípulos" mediante "el bautismo" y la "enseñanza". Suele suceder que la primera parte es cumplida (evangelización mundial) a expensas de las otras dos. En otras palabras, la Iglesia ha puesto su empeño en evan–gelizar al pecador, pero ha descuidado el discipulado del creyente. Como Bill Hill dice, "la Iglesia ha tratado de evangelizar al mundo sin hacer discípulos" y añade, "adoramos la Gran Comisión, pero no la cumplimos".

El primer paso es ir, que en el original puede traducirse como 'cuando hayas ido' o 'en el camino'. No se limita a cruzar las fronteras geográficas. Jesús implica que debemos participar en la expansión del Reino de Dios en dondequiera nos encontremos. En otras palabras, cada creyente, sea ministro o laico, debe hacer discípulos a lo largo de su vida.

En Mt 5: 13-16, Jesús dice que los creyentes son "la sal de la tierra" y "la luz del mundo". Explique el significado de estas palabras y su cumplimiento.

Según Hch 1: 8, ¿en dónde ocurrirán la evangelización mundial y el discipulado? Luego, explique su aplicación a la Iglesia del siglo XXI.

Jesús ordena "ir", refiriéndose a cruzar los límites con tal de hacer discípulos: cruzar la calle e ir hasta el vecino, cenar con una amiga que no conoce al Señor, aventurarse en el centro de la ciudad (incluso a lugares de mala muerte) o salir de la comodidad para compartir el evangelio. Jesús sentó el ejemplo en su ministerio:

- Jesús cruzó la frontera con Samaria para llevar la buena nueva de la vida eterna a una mujer junto a un pozo (Jn 4: 1-15).
- Jesús compartía con "publicanos y pecadores" al punto de entrar en sus casas (Lc 15: 1-2).

Lea el libro de Jonás y la reacción del profeta cuando fue enviado a Nínive. ¿Alguna vez Dios le ha pedido que evangelice a alguien o en un lugar que tal vez no era de su agrado? ¿Respondió igual que Jonás? Describa su experiencia en el espacio provisto.

La misión es para todos los discípulos. Lea Hechos 8: 26-39 y fíjese en la manera en que Dios usó a Felipe para ministrarle al etíope. ¿Qué método usó? Escriba su respuesta a continuación.

_____

_____

_____

Pablo dice en 2 Corintios 5: 14 que "el amor de Cristo" lo obligaba a hacer discípulos. Explique la frase "el amor de Cristo". ¿A qué está refiriéndose: al de Cristo por él o a su amor por Cristo o al amor de Cristo por el mundo? ¿Qué lo inspira a cumplir la Gran Comisión de hacer discípulos?

_____

_____

_____

Jesús ordena que *hagamos discípulos* (Mt 28: 19). No dice que convirtamos gente al cristianismo. ¿Qué significa *hacer discípulos*? Cristo quiere que reproduzcamos en otros lo que hizo en nosotros: fe, obediencia, crecimiento, autoridad, compasión, amor y un mensaje veraz, audaz. El autor Tony Evans lo explica así: "El discipulado (hacer discípulos) es el proceso que la iglesia usa para llevar a los creyentes de la infancia a la madurez espiritual, de modo que estos, a su vez, lo repitan con otras personas". En otras palabras, los discípulos deben hacer discípulos. Pablo encarga a Timoteo que use lo que ha aprendido para enseñar a otros:

> *Tú, pues, hijo mío, esfuérzate en la gracia que es en Cristo Jesús. Lo que has oído de mí ante muchos testigos, esto encarga a hombres fieles que sean idóneos para enseñar también a otros* (2 Ti 2: 1-2).

Pablo insta a Timoteo a que transmita la verdad de Cristo a la próxima generación. En otras pa-labras, es un proceso intransferible. El discipulado ocurre cuando enseñamos lo que Dios ha hecho en nosotros.

Timoteo lo logaría si seguía el consejo de Pablo (2 Ti 3: 14-15). ¿Cuál es la amonestación del apóstol en el versículo 14? Escriba su respuesta en el espacio provisto:

_____

Según Hebreos 5: 12, ¿por qué los cristianos no se convirtieron en maestros? ¿Por qué no hicieron discípulos? Escriba su respuesta en el espacio provisto:

_____

El discipulado ocurre por medio del bautismo y la enseñanza. El primero está vinculado con la decisión de fe (Hch 2: 38; 8: 36-38), por lo que quizá represente la misión de la evangelización. Como tal, marca la entrada de cada persona a la comunidad de fe (Rm 6: 1-4). El segundo completa nuestra misión de edificar a los creyentes. Es decir, debemos guiarlos a través de cada etapa de crecimiento espiritual (Ef 4: 11-16). Según Jesús, la instrucción incluye desde la doctrina hasta una vida obediente: «… enseñándoles que guarden todas las cosas que os he mandado…».

¿Quiénes, pues, son los discípulos? Jesús dice: «… a todas las naciones…». Esta frase también puede traducirse como 'todos los pueblos'. *Naciones* se deriva de *etnos*, 'pueblos, grupos étnicos'. Jesús usa este término en el capítulo 24, versículo 14 de Mateo: «Y será predicado este evangelio del Reino en todo el mundo, para testimonio a todas las naciones, y entonces vendrá el fin». Dice que la proclamación universal del evangelio y el cumplimiento de la Gran Comisión conducirían a su venida. Nótese que Mateo fue escrito para la comunidad judía, pero concluye con una referencia a las naciones. Tal parece que Jesús estaba desafiándolos a que cumplieran su mandato a pesar de sus prejuicios. En otras palabras, Jesús quiere discípulos de todas las etnias. Apocalipsis describe una escena hermosa en el cielo de todos los pueblos discípulos:

> *Después de esto miré, y vi una gran multitud, la cual nadie podía contar, de todas las naciones, tribus, pueblos y lenguas. Estaban delante del trono y en la presencia del Cordero, vestidos de ropas blancas y con palmas en sus manos* (7: 9).

Según Romanos 1: 16, ¿a quiénes debe ser predicado primero el evangelio? Escriba su respuesta:

_____

¿Quiénes Dios desea que sean salvos según 1 Timoteo 2: 4? Escriba su respuesta:

_____

¿Qué puede hacer para asegurarse de hacer discípulos a todas las naciones? Escriba su respuesta:

_____

Jesús demuestra el amor universal de Dios durante su conversación con Nicodemo, el líder religioso. Lea el versículo 16 del capítulo 3 de Juan y parafrasee la palabra mundo. Escriba su respuesta:

_____

Jesús concluye su enseñanza con la siguiente promesa: «Yo estoy con vosotros todos los días, hasta el fin del mundo». En otras palabras, nos acompañará a lo largo del camino. Tanto Moisés (Ex 3: 12) como Josué (Jos 1: 5) recibieron palabras semejantes. Lea estos versículos y escriba qué Dios les prometió a estos dos líderes:

_____

En conclusión, la Gran Comisión (Mt 28: 19-20) está enmarcada por la autoridad universal de Jesús (poder) y la promesa de su presencia espiritual. Ambas son necesarias para la misión de hacer discípulos.

El proceso de convertirse en un discípulo

Puesto que Dios desea que todos sean salvos y que la Iglesia haga discípulos, cabe preguntarse: ¿qué es un discípulo? El concepto del discipulado es más antiguo que la era del Nuevo Testamento. De hecho, era un concepto bien definido en los tiempos de Cristo. El discipulado estaba arraigado en el mundo griego, practicado por maestros prominentes como Platón. Éste lo usó para preparar a

Aristóteles, quien a su vez fundó academias en las que impartía su conocimiento. Tony Evans dice que Así que durante el tiempo del Nuevo Testamento fue aplicado al contexto espiritual.

En primer lugar, debemos explorar la definición de *discípulo*. Aunque este concepto es común en las iglesias, todavía existen ideas erróneas sobre su definición. Bill Hull comenta que para muchos solamente trata sobre "tomar en serio" la relación con Cristo. Éste añade que ha sido limitado a la "memorización de las Escrituras, cultos de oración, el estudio analítico de la Biblia, la evangeli–zación casa por casa y el abandono de los placeres de la vida". Estas cosas son importantes, pero no definen claramente al discipulado.

A continuación, escriba lo que entiende por *discipulado* y *discípulo*. Al final de la lección compare su definición con la ofrecida en este estudio.

_____

_____

_____

_____

Mateo presenta la Gran Comisión (Mt 28: 19-20) de "hacer discípulos" con el verbo *mateteuo*, el cual se deriva de *matetes* y aparece más de doscientos cincuenta veces en los evangelios y Hechos. Su traducción connota la idea de, 'discípulo, alumno, que aprende de otro y cuya vida está vincu–lada con la de su maestro Jesús'. Además, el sustantivo *mateteuo* significa 'discípulo" (Mt 27: 57), 'uno que aprende' (Mt 13: 52).

Todo indica que era un concepto prevalente en la cultura judía. Las tradiciones eran enseñadas a través de las fiestas especiales como la Pascua. El libro de texto era el Pentateuco, los cinco libros de Moisés. El padre estaba a cargo de impartir las enseñanzas de la Ley (Dt 6: 6-9). Dice que Pablo estudió a los pies de un rabino famoso conocido como Gamaliel (Hch 5: 34; 22: 3).

Escriba cómo puede convertirse en un discípulo de Cristo a partir de las definiciones anteriores:

_____

_____

_____

_____

Si es padre, enumere cómo les comunicará la Palabra a sus hijos:

_____

_____

_____

_____

Ahora debemos estudiar cómo la definición de *discípulo* es usada en el Nuevo Testamento. Avery T. Willis, Hijo, ha identificado tres usos de esta palabra. En primer lugar, se refiere al seguidor de un grupo o maestro: «Los discípulos de Juan y los de los fariseos estaban ayunando. Entonces fueron y le preguntaron: ¿Por qué los discípulos de Juan y los de los fariseos ayunan, y tus discípulos no ayunan?» (Mc 2: 18).

Identifique a los tres grupos de discípulos mencionados en el pasaje anterior:

_____

_____

_____

_____

En segundo lugar, denota a los apóstoles de Jesús. Marcos habla sobre este llamado: «Designó entonces a doce para que estuvieran con él, para enviarlos a predicar».

Según Marcos 3: 15, ¿qué tipo de ministerio recibieron los apóstoles de Jesús? Escriba su respuesta:

_____

_____

En tercer lugar, *discípulo* alude al seguidor de Jesús que cumple con ciertos requisitos. Lea Lucas 14: 26-27 y escriba esos requisitos:

_____

_____

_____

_____

Jesús definió el discipulado de varias maneras a lo largo de su ministerio. Bill Hull las menciona:

- Está dispuesto a negarse a sí mismo, tomar la cruz y seguirlo cada día (Lc 9: 23-25).
- Cristo ocupa el primer lugar (Lc 14: 25-35).
- Está comprometido con las enseñanzas de Cristo (Jn 8: 31).
- Está comprometido con la evangelización del mundo (Mt 9: 36-38).
- Ama a los demás como Cristo los ama (Jn 13: 34-35).
- Permanece en Cristo, es obediente, da fruto, glorifica a Dios, está lleno de gozo y ama a los hermanos (Jn 15: 7-17).

Jesús insiste en tres ocasiones que si no está dispuesto a aceptar tales compromisos, "no puede ser su discípulo" (Lc 14: 25, 26, 33).

Evalúese a la luz de las definiciones de Jesús sobre el discipulado. ¿Qué está haciendo para mantener estos compromisos? Anote la respuesta:

_____

_____

_____

_____

Nadie se convierte en discípulo de Jesús automáticamente, pues es una búsqueda permanente. Todo empieza con el nacimiento espiritual y los procesos de crecimiento y maduración espirituales. Jesús describe el nuevo nacimiento en su conversación con Nicodemo: «De cierto, de cierto te digo que el que no nace de nuevo no puede ver el reino de Dios... De cierto, de cierto te digo que el que no nace de agua y del Espíritu no puede entrar en el reino de Dios» (Jn 3: 3, 5). La regeneración ocurre cuando el pecador deposita su fe en la obra de Cristo en la cruz y recibe el perdón de sus pecados.

¿Por qué es importante "nacer de nuevo" (Jn 3: 3)? Escriba su respuesta a continuación:

El recibimiento de Cristo como Salvador provoca una transferencia espiritual, la cual Pablo describe:

> *Él nos ha librado del poder de las tinieblas y nos ha trasladado al reino de su amado Hijo, en quien tenemos redención por su sangre, el perdón de pecados* (Col 1: 13-14).

Dado que fuimos librados del reino de las tinieblas y trasladados al de la luz, ¿qué debemos hacer según 1 Pedro 2: 9? Escriba su respuesta:

Jesús describe el camino al discipulado de esta manera:

> *Venid a mí todos los que estáis trabajados y cargados, y yo os haré descansar. Llevad mi yugo sobre vosotros y aprended de mí, que soy manso y humilde de corazón, y hallaréis descanso para vuestras almas, porque mi yugo es fácil y ligera mi carga* (Mt 11: 28-30).

El contexto es que los judíos habían rechazado al Mesías, por lo que ahora atraería a los gentiles. Jesús declara que el verdadero discipulado requiere la fe de un niño. Tony Evans señala que Jesús no está invitándolos a su "enseñanza" o "milagros", sino a su persona. La mayoría de los comen–taristas entiende que es una oferta de salvación.

Esta invitación se extiende a "los trabajados y cargados". Esta frase ha sido interpretada de varias maneras, como por ejemplo: el pecado, las exigencias de los religiosos, la opresión y persecución o el cansancio y la carga de buscar a Dios. Empero, la invitación es clara, primero a aceptarlo como Salvador y segundo, convertirse en su discípulo. Luego dice: "hallarás descanso". En otras palabras, "te daré descanso con mi presencia".

Jesús continúa su invitación a los cargados: «Llevad mi yugo sobre vosotros y aprended de mí...». Cada persona debe tomar la iniciativa. Jesús no impondrá su yugo. En otras palabras, el ser su discí–pulo es una decisión personal. Por eso este pasaje es interpretado como un llamado al discipulado.

Según el libro de *Usos y costumbres de la Biblia*, el yugo era un marco de madera uncido sobre los bueyes para que caminaran en tándem. Era una barra de madera que colgaba sobre el cuello del animal. De esa forma podían arar el campo.

Ahora que comprendemos el sentido literal en que un yugo era usado en los tiempos de Jesús, ¿qué quiso decir con "mi yugo"? Un escritor lo interpreta como la disciplina del discipulado, mientras que para otro es someterse al señorío de Jesucristo. Algunos lo ven como un símbolo del compañerismo con Cristo. En primer lugar, con respecto a la disciplina del discipulado, los religiosos de aquel entonces oprimían al pueblo con sus reglas irracionales. Era una salvación por obras (Mt 23: 4; Hch 15: 10), en lugar de una relación de gracia con Dios.

¿Qué enseña Pablo en Efesios 2: 8-9 y Tito 3: 5 acerca de la salvación? ¿Es el resultado de la gracia de Dios o de las obras? Responda en el espacio provisto:

Según Tito 2: 12, ¿qué enseña la gracia de Dios? Responda en el espacio provisto:

Los rabinos enseñaban que había que tomar "el yugo de la Ley", convirtiéndose en opresores del pueblo. En otras palabras, el cumplimiento de sus requisitos era una carga espiritual. Por eso Jesús invita: «Llevad mi yugo sobre vosotros y aprended de mí, que soy manso y humilde de corazón, y hallaréis descanso para vuestras almas…». Su yugo es fácil y su carga, ligera. Su discipulado vale la pena porque es manso y humilde de corazón. Es decir, está más interesado en conocernos que en nuestra religiosidad. Además, el propósito del discipulado cristiano es someterse a Dios. El tomar el yugo de Jesús implica que estamos atados a él, trabajando en conjunto. Es un llamado al servicio y la responsabilidad. Por lo tanto, debemos caminar con Él y aceptar su propósito para nuestra vida.

En Efesios 2: 8-9, Pablo declara que somos salvos por gracia mediante la fe, pero ¿con qué propósito? Lea Efesios 2: 10 y escriba su respuesta a continuación:

Nótese que Jesús está hablando de su yugo. Esto significa que comparte nuestra carga. Era costumbre uncir a un buey joven con uno viejo para que aprendiera el trabajo. ¿Acaso Jesús no está diciendo, "aprendan de mí"? Está diciendo: "Ven y déjame instruirte". Esto significa convertirse en su discípulo (*mathetes*): «Bástale al discípulo ser como su maestro y al siervo como su señor…» (Mt 10: 25).

Discípulo también es sinónimo de 'aprendiz'. Tony Evans señala que se refiere a un estudiante que imita las enseñanzas y los patrones de su maestro. Además, implica que el maestro está capacitado para adiestrarle en un oficio en particular. Por consiguiente, debemos ser como Jesús.

¿Cuál es el propósito de Dios para nuestra vida según Romanos 8: 29? Responda a continuación:

El tomar el yugo de Cristo también indica compañía. El buey viejo ayudaba al más joven con el peso de la carga. De igual manera, Jesús lleva el peso de nuestra carga. La ironía es que nos ofrece el descanso espiritual y emocional. Caminamos a su lado y aprendemos porque es más fuerte y poderoso. Por consiguiente, nuestra carga es "fácil y ligera".

La parte final del estudio trata sobre el proceso de convertirse en un discípulo de Jesús. Esto incluye que respondamos al llamado de salvación, sumisión a su señorío, ser su colaborador en el ministerio y dejar que lleve nuestras cargas. Pero el discipulado también es un proceso de desarrollo espiritual. Tony Evans dice que la meta es la maduración espiritual, es decir, convertirse en un discípulo adulto. Esto ocurre en la iglesia. De hecho, el discipulado depende de la iglesia. Pablo le dice a Timoteo: «… para que, si tardo, sepas cómo debes conducirte en la casa de Dios, que es la iglesia del Dios viviente, columna y defensa de la verdad» (1 Ti 3: 15).

Explique 1 Timoteo 3: 15 en el espacio provisto:

_____
_____
_____

La iglesia nutre el desarrollo del discípulo de Jesucristo. El escritor de Hebreos habla sobre la importancia de congregarse:

> *Y considerémonos unos a otros para estimularnos al amor y a las buenas obras, no dejando de congregarnos, como algunos tienen por costumbre, sino exhortándonos; y tanto más, cuanto veis que aquel día se acerca* (Hb 10: 24-25).

A partir de los versículos anteriores, menciones dos de las razones por las que debemos congregarnos. Escriba su respuesta en el espacio provisto:

_____
_____
_____

¿Por qué dice el autor que no pudo enseñar las verdades más profundas de la Palabra de Dios (Hb 5: 11-13)? Escriba su respuesta en el espacio provisto:

_____
_____
_____
_____

La Biblia es importante para el desarrollo espiritual. El apóstol Pedro identifica varias cosas que impiden el crecimiento (1 P 2: 1-2). Escríbalas en el espacio provisto. Hay que desear la Biblia como el bebé que busca la leche:

_____
_____

La prioridad de ser un discípulo

La segunda lección trató sobre el proceso de convertirse en un discípulo de Jesucristo y el desarrollo espiritual subsiguiente. Ahora nos enfocaremos en el precio y la prioridad del discipulado. Jesús llamó discípulos durante su ministerio. Mientras pasaba por Galilea vio a dos hermanos, llamados Simón (Pedro) y Andrés: «Y les dijo: Venid en pos de mí, y os haré pescadores de hombres. Ellos entonces, dejando al instante las redes, lo siguieron» (Mt 4: 19-20).

Jesús les dijo "síganme" a Pedro y Andrés. Estos pescadores veteranos fueron llamados a "pescar hombres". Era una vocación más grande e importante: ganar almas. Fueron los primeros llamados a la obra. Pero el Señor sigue en busca de discípulos.

Lea Marcos 1: 17 y explique cómo puede convertirse en un "pescador de hombres":

Antes de convertirse en un "pescador de hombres", hay que ser un discípulo de Jesús. Entonces, ¿qué implica ser un discípulo de Jesucristo? ¿Cuál es el precio y costo? ¿Cuál es la prioridad del discipulado? En la lección tres trataremos de responder a estas preguntas con las palabras de Jesús. En primer lugar, examinemos las condiciones del discipulado. Jesús ofrece estas explicaciones en el camino hacia su muerte en Jerusalén:

> *Y decía a todos: Si alguno quiere venir en pos de mí, niéguese a sí mismo, tome su cruz cada día y sígame. Todo el que quiera salvar su vida, la perderá; y todo el que pierda su vida por causa de mí, éste la salvará, pues, ¿qué aprovecha al hombre si gana todo el mundo y se destruye o se pierde a sí mismo?* (Lc 9: 23-25).

Muchos quieren seguir a Jesús bajo sus propios términos. Sin embargo, Jesús dice claramente: «Si alguno quiere venir en pos de mí (o ser mi discípulo)…», tiene que acatar mis condiciones. En primer lugar, niéguese a sí mismo. ¿Qué significa negarse a uno mismo? Jesús emplea una expresión que implica una negación absoluta. Los evangelios utilizan esta frase en la profecía de la negación de Pedro (Mt 26: 34-35; Mc 14: 30-31; Lc 22: 34; Jn 13: 38) y su posterior cumplimiento (Mt 26: 75; Mc 14: 72; Lc 22: 61).

Jesús no está ofreciéndonos un viaje fácil al cielo. Tampoco está diciendo que debamos privarnos de lo necesario o lacerarnos de algún modo, pero como discípulos, debemos estar listos a remover cualquier cosa que compita con su reino. Una Biblia de estudio comenta que no podemos satis–facernos con comodidades, apetitos e impulsos, pensamientos y sentimientos, engaños y tentaciones, tramas e intrigas, orgullo y arrogancia, reacciones y disturbios. Además, tenemos que renunciar a la vieja vida y al ego y meternos de lleno en esta nueva criatura y sus esperanzas. Debemos negarnos a nosotros mismos y decir que sí a Jesús. Esa negación no se refiere a conductas sino a lo que somos. Cristo debe reinar en nuestros corazones y vidas.

Según 2 Corintios 5: 17, ¿por qué debemos acoger a la nueva criatura? Escriba su respuesta en el espacio provisto:

_____

_____

_____

Según Colosenses 3: 8-12, ¿de qué debemos despojarnos y revestirnos? Escriba su respuesta en el espacio provisto:

_____

_____

_____

_____

En segundo lugar, un seguidor de Jesús debe "tomar su cruz cada día". Sus discípulos tienen que participar en la cruz. La gente del tiempo de Jesús comprendía esta expresión porque los romanos habían crucificado a cientos de criminales. Cabe señalar que aunque implica la posibilidad de la persecución y el martirio, no alude a un problema de salud, el desempleo, un esposo inconverso o un hijo caprichoso. La cruz era un instrumento de muerte que no era transportable. *La Biblia del predicador* sugiere que cada creyente debe imitar la mentalidad y humildad de Cristo, quien soportó la muerte y muerte de cruz (Flp 2: 5-6; 2 Co 10: 3-5). En otras palabras, es hacer morir la voluntad, los deseos, los caprichos y las ambiciones. Además, hay que morir a la vieja criatura y el pecado diariamente. Pablo así lo expresa en el capítulo 6 de Romanos, versículos del 11 al 13:

- El creyente reconoce que con Cristo ha sido juntamente crucificado (vv. 6-11).
- El creyente reconoce que está muerto al pecado, pero vivo para Dios (v. 11).
- El pecado no reina en el cuerpo del creyente (v. 12).
- El creyente no usa sus miembros como instrumentos del pecado (v. 13a).
- El creyente se rinde a Dios como aquellos que han sido levantados de la muerte (v. 13b).
- El creyente usa sus miembros como instrumentos de la justicia (v. 13c).

¿Cuáles son las instrucciones de Romanos 12: 1 y Colosenses 3: 5? Escriba su respuesta en el espacio provisto:

_____

_____

_____

_____

¿Qué significa ser un sacrificio vivo (Rm 12: 1)? Escriba su respuesta en el espacio provisto:

_____
_____
_____

Pablo dice que ha sido crucificado con Cristo (Ga 2: 20). Escriba su respuesta en el espacio provisto:

_____
_____
_____

En tercer lugar, Jesús invita al discípulo a *seguirlo*. Los verbos *negar* y *tomar* están en el modo aoristo, lo que implica una acción decisiva todos los días. Pero el verbo *sígueme* está en el modo presente, dando a entender una acción constante. Hemos emprendido un viaje espiritual que algún día culminará en el cielo; por lo tanto, hay que perseverar en el camino de Jesús. Además, esta palabra connota ser un seguidor o compañero de Cristo y estar unido o ser semejante a él.

Describa las maneras en que puede seguir a Jesús en el discipulado:

_____
_____
_____

Jesús concluye esta sección de su enseñanza sobre el discipulado diciendo: «Todo el que quiera salvar su vida, la perderá; y todo el que pierda su vida por causa de mí, éste la salvará, pues, ¿qué aprovecha al hombre si gana todo el mundo y se destruye o se pierde a sí mismo?». Esta parte del pasaje contrasta a dos personas: la que preserva su vida, pero termina perdiéndola y la que la pierda, pero la gana en Cristo. Es decir, el discípulo que invierta su tiempo en sus logros, perderá la vida venidera. El profesor French Arrington ha comentado sobre este pasaje que *vida* (*psuke*), 'se refiere al alma'. El contexto indica una advertencia severa contra la inversión en esta vida terrenal (que fallece, se desvanece o descompone). Si una persona salva su vida dedicándose a sus placeres, terminará perdiendo la recompensa más importante: el reino eterno.

Tenga en cuenta la frase, "por causa de mí". La persona que vive para complacer a Cristo en la tierra, salvará su vida por la eternidad. Arrington resume la enseñanza de Jesús: «… la pérdida de la posición, los bienes materiales y hasta la vida física, palidece en comparación con la pérdida de la salvación eterna». Luego añade que aunque perdiéramos la oferta del mundo de riqueza, poder y gloria, ganaríamos la verdadera vida en Cristo, tanto aquí en la tierra como en el cielo. Además, dice que sería una "locura perder el alma por un pedazo de mundo". En esencia, nuestras decisiones tienen un peso eterno (Lc 9: 26).

Lea Mateo 16: 24-27 y explique qué significa negarse a uno mismo, tomar la cruz y seguir a Jesús. ¿Cómo lo hace en su discipulado con Cristo?

_____
_____

107

SECCIÓN 12

_____

_____

En la primera sección discutimos el discipulado desde la perspectiva de Jesús (Lc 9: 23-25). Ahora veremos que también, debe ser nuestra prioridad. El capítulo 9 de Lucas muestra a Jesús en ruta hacia Jerusalén, en donde moriría por el pecado de la humanidad (Lc 9: 51-56). Durante su viaje encuentra a tres posibles seguidores. Así que aprovecha la ocasión para enseñar sobre las condiciones del discipulado.

Los versículos del 57 al 62 revelan que el discípulo no puede llegar a un acuerdo especial con Cristo. Tiene que seguirlo sin preguntas. Debemos ir a donde nos envíe y obedecerlo. Además, debemos amarlo sin intereses personales:

> Yendo por el camino, uno le dijo: —Señor, te seguiré adondequiera que vayas.
> Jesús le dijo: —Las zorras tienen guaridas y las aves de los cielos nidos, pero el Hijo del hombre no tiene donde recostar la cabeza.
> Y dijo a otro: —Sígueme.
> Él le respondió: —Señor, déjame que primero vaya y entierre a mi padre.
> Jesús le dijo: —Deja que los muertos entierren a sus muertos; pero tú vete a anunciar el reino de Dios.
> Entonces también dijo otro: —Te seguiré, Señor; pero déjame que me despida primero de los que están en mi casa.
> Jesús le contestó: —Ninguno que, habiendo puesto su mano en el arado, mira hacia atrás es apto para el reino de Dios (9: 57-62).

Un discípulo le dijo: "Señor, te seguiré adondequiera que vayas". ¿Por qué hizo tal promesa? Por las mismas razones que Cristo atrae a muchos: el gozo de la presencia de Dios y la comunión con sus seguidores, sus enseñanzas y sabiduría y sus buenas acciones. Sin embargo, Jesús le advierte que debía tomar en cuenta el costo y estar dispuesto a sacrificarse: «Las zorras tienen guaridas y las aves de los cielos nidos, pero el Hijo del hombre no tiene donde recostar la cabeza». En otras palabras, no existen garantías de comodidades o lujos. Lo único que está garantizado es la abnegación y entrega. Además, insiste en que seguirlo requiere algo más que un compromiso de palabra. Hay que estar dispuesto a sacrificarse y entregarse por los demás. Se trata de una actitud de servicio. Por lo tanto, es un compromiso con el prójimo.

Lea Mateo 20: 28 y Marcos 10: 45 y responda a qué vino Jesús:

_____

Lea Filipenses 2: 5-8 y describa la manera en que Cristo se entregó por nosotros:

_____

_____

_____

¿Cómo desarrollará su servidumbre? Escriba su respuesta en el espacio provisto:

_____

Jesús invitó a otro discípulo a seguirlo. Fíjese en que el individuo responde a la invitación con una condición: «Señor, déjame que primero vaya y entierre a mi padre». Jesús le responde: «Deja que los muertos entierren a sus muertos; pero tú vete a anunciar el reino de Dios». De momento suena un poco insensible, pues los judíos eran muy celosos de sus responsabilidades familiares (1 Ti 5: 3-8). Pero Jesús está reprendiendo la demora en responder al discipulado. El discípulo había dividido su atención, es decir, quería librarse de sus distracciones antes de seguir a Jesús. Además, no se sometió inmediatamente. Después de todo, estamos hablando de que el discipulado es una prioridad. Siempre algo tratará de distraernos de nuestro compromiso. Nadie debe rechazar ni retrasar su discipulado. Hay que darle prioridad a seguir a Jesús. ¿Por qué? El llamado al discipulado es urgente porque trata sobre la predicación de las buenas nuevas de salvación.

¿Qué dice Jesús en Mateo 6: 24 sobre la lealtad del discípulo? Escriba su respuesta en el espacio provisto:

_____

¿Qué enseña el versículo 21, del capítulo 5 de 1 Juan sobre los ídolos? Escriba su respuesta en el espacio provisto:

_____

Mencione algunas de las maneras en que retrasamos nuestra respuesta al llamado de Cristo. Escriba su respuesta en el espacio provisto:

_____
_____
_____
_____

El tercer discípulo mencionado en el pasaje, también se comprometió con Jesús: «Te seguiré, Señor; pero déjame que me despida primero de los que están en mi casa». Al igual que el otro hombre, estaba dispuesto a seguir a Jesús, pero antes quería despedirse de su familia. Era una petición razonable, pero deja entrever que su lealtad estaba dividida. Éste quería seguir a Jesús, pero antes quería resolver un asunto (familiar, financiero, etc.). Sus acciones revelan sus dudas sobre cortar los lazos del pasado y seguir a Jesús. Ciertamente, no es malo que amemos a la familia, siempre y cuando no interfiera con nuestra devoción a Cristo. El discipulado es más importante que otras relaciones.

Tal parece que el problema de este seguidor no era que quisiera volver a casa, sino que estaba mirando atrás. Jesús debe haberlo discernido, porque de inmediato usa una metáfora de la agricultura como advertencia sobre el volver atrás: «Ninguno que, habiendo puesto su mano en el arado, mira hacia atrás es apto para el reino de Dios». En otras palabras, cualquiera que habiendo emprendido el camino al discipulado y mira atrás no es apto para el Reino de Dios. ¿Por qué? Nadie puede arar el terreno con la mirada sobre el hombro. El discipulado exige dedicación y concentración. El discípulo que torna su vista no puede rendir un servicio completo al Señor.

Según Mateo 6: 33, ¿qué lugar debe Dios ocupar en nuestras vidas? Escriba su respuesta en el espacio provisto:

_____

_____

_____

¿Qué sucede cuando damos el primado a Dios (Mt 6: 33)? Escriba su respuesta en el espacio provisto:

_____

_____

_____

Según Colosenses 3: 2, ¿quién merece nuestro afecto? Escriba su respuesta en el espacio provisto:

_____

_____

_____

El capítulo 14 de Lucas continúa la narración del viaje de Jesús y sus seguidores hacia Jerusalén. Pronto se enfrentaría a la cruz romana como el Cordero de Dios que quita el pecado del mundo (Jn 1: 29). Durante el viaje se dedicó a enseñar sobre las demandas del discipulado. Su mensaje es que cuesta. Dietrich Bonhoeffer, el teólogo alemán, expresó estos pensamientos en su gran libro, *El costo del discipulado:*

> *La gracia barata es gracia sin discipulado, gracia sin la cruz, gracia sin un Jesucristo vivo y encarnado... La gracia costosa es el tesoro escondido en el campo; un hombre vende con gusto todo lo que tiene con tal de comprarlo. Es costosa porque costó la vida de un hombre y es gracia porque da la vida verdadera al hombre.*

Los versículos del 25 al 35 abordan el costo del discipulado. Jesús se dirige a la multitud de se–guidores y dice: "Si alguno quiere ser mi discípulo… éstas son mis condiciones". En primer lugar, debe tomar en cuenta el costo de sus relaciones: «Si alguno viene a mí y no aborrece a su padre, madre, mujer, hijos, hermanos, hermanas y hasta su propia vida, no puede ser mi discípulo» (v. 26). Su declaración es dura y hasta contraria a sus exhortaciones de amar al prójimo. ¿De verdad quiere que odiemos a nuestros seres queridos?

Por lo tanto, debemos estudiar la palabra, *aborrecer*. No significa un odio literal ni sentimientos crueles hacia los seres queridos. De hecho, los creyentes deben amar a sus enemigos (Lc 6: 27). Este requisito del discipulado simplemente establece que ninguna relación debe suplantar a Cristo. Nuestra relación con Jesús debe ser más importante que las demás. Tony Evans comenta: "Nada merece mi compromiso, determinación ni pasión como mi amor por Cristo". *La Biblia del predicador* lo resume de esta manera:

- Cristo está por encima de la familia y de uno mismo.
- Hay que escoger a Cristo aunque no contemos con el apoyo de la familia.
- Cristo está por encima de la compañía, la comodidad y el placer de la familia y el hogar.
- La misión de Cristo es más importante que todo lo demás.

¿A qué se refiere Jesús en Mt 10: 37? Escriba su respuesta en las líneas más abajo.

_____

_____

¿Qué enseña Jesús sobre el amor a Dios (Mt 22: 37-38)? Escriba su respuesta en el espacio provisto:

_____

_____

_____

_____

En segundo lugar, Lucas afirma que existe un costo por identificarse con Jesús: «El que no lleva su cruz y viene en pos de mí, no puede ser mi discípulo» (Lc 14: 27).

¿Qué significa "llevar la cruz"? Cuando un criminal era sentenciado a la crucifixión, tenía que cargar su cruz hasta el sitio de muerte. De esa manera declaraba que aceptaba su crimen y el castigo impuesto por Roma. Jesús lo aplica al discipulado como una manera de identificarse públicamente con él. Todos los días hay que identificarse la vergüenza, el sufrimiento y la entrega de Cristo. Además, significa morir al ego, a los planes y las ambiciones personales con tal de servirle.

¿Qué enseña Jesús Juan 12: 23-28 sobre el seguirlo? Escriba su respuesta en el espacio provisto:

_____

_____

_____

_____

Jesús quiere que aceptemos la "cruz" gustosamente y que la llevemos por todas partes. Es decir, que nos identifiquemos públicamente con Él, que cuando nos acusen de ser cristianos, admitamos que somos culpables. Es un llamado a la exhibición pública de nuestra fe en todas las áreas de nuestra vida. Otro elemento de este pasaje es que el viaje hacia la cruz no tenía retorno. Era un viaje a la muerte. Jesús llama a su discípulo: "ven y muere".

¿Por qué Jesús no quiere que nos avergoncemos de él (Mc 8: 38)? Escriba su respuesta en el espacio provisto:

_____

_____

_____

¿Cuáles son las consecuencias de avergonzarse de Jesús en esta vida? Escriba su respuesta en el espacio provisto:

_____

_____

_____

En tercer lugar, Lucas declara en el capítulo 14 que el discipulado es una decisión personal. Es decir, hay que meditar en su costo y las consecuencias. Jesús utiliza dos parábolas para ilustrar su punto: un constructor que planifica edificar una torre y un rey que está considerando si debe ir a la guerra. Veámoslas por separado:

> *¿Quién de vosotros, queriendo edificar una torre, no se sienta primero y calcula los gastos, a ver si tiene lo que necesita para acabarla? No sea que, después que haya puesto el cimiento, no pueda acabarla y todos los que lo vean comiencen a hacer burla de él, diciendo: "Este hombre comenzó a edificar y no pudo acabar"* (Lc 14: 28-30).

Jesús dice que es necesario tomar en cuenta el costo del discipulado. La salvación es un regalo de la gracia de Dios (Rm 3: 24; 6: 23; Ef 2: 8-9), pero el discipulado es costoso. En otras palabras, es un asunto que no debe ser tomado a la ligera. Antes de comprometernos a seguir a Jesús, debemos sacar nuestras calculadoras espirituales para ver si tenemos los recursos para perseverar en el camino. El punto es claro: cada discípulo debe meditar sobre su decisión de seguir a Cristo.

En la segunda parábola, Jesús habla de dos reyes que están contemplando ir a la guerra:

> *¿O qué rey, al marchar a la guerra contra otro rey, no se sienta primero y considera si puede hacer frente con diez mil al que viene contra él con veinte mil? Y si no puede, cuando el otro está todavía lejos le envía una embajada y le pide condiciones de paz* (Lc 14: 31-32).

De manera similar Jesús dice: "Quien quiera ser mi discípulo debe tomar en cuenta el costo". Esta historia habla de un rey que está deliberando si irá a la guerra. Pero antes, toma en cuenta lo que tal decisión conllevaría, como los daños colaterales y la pérdida de vidas. ¿Vale la pena? Nota: el rey tuvo que tomar una decisión. En otras palabras, no podemos permanecer neutrales sobre la invitación de Cristo. Todo el mundo debe tomar una decisión. Nadie que esté de brazos cruzados puede ser un discípulo de Jesús.

¿Cómo Moisés desafió a la nación hebrea a decidirse a servir a Dios (Ex 32: 26)? Escriba su res-puesta en el espacio provisto:

_____

_____

_____

¿Cómo Elías desafió al pueblo de Israel a servir a Dios (1 R 18: 21)? Escriba su respuesta en el espacio provisto:

_____

_____

_____

En resumen, la primera parábola enseña que nadie puede seguir a Cristo a ciegas. La segunda historia nos insta a que tomemos en cuenta el costo de *no seguir a Jesús* y que estemos a cuentas con el enemigo más fuerte (Satanás) y las consecuencias eternas de esta guerra espiritual.

¿Cómo el apóstol Pedro describe a nuestro enemigo (1 P 5: 8)? Escriba su respuesta en las líneas más abajo.

_____

_____

¿Cómo Pablo aconseja que nos preparemos para luchar contra Satanás y sus fuerzas espirituales (Ef 6: 10-17)? Escriba su respuesta en el espacio provisto:

_____

_____

_____

_____

Jesús añade un último punto a su enseñanza sobre el costo del discipulado en el versículo 33: «Así, pues, cualquiera de vosotros que no renuncie a todo lo que posee, no puede ser mi discípulo». El mensaje es bastante claro: nadie puede ser su discípulo de Cristo a menos que deje todo atrás. El seguir a Jesús cuesta todo lo que uno es y tiene. *La Biblia del predicador* dice:

- Su corazón: devoción y compromiso total.
- Su mente: sometida a Cristo.
- Sus ojos: que esté alerta.
- Orejas: que sepa qué escucha.
- Sus manos: que vele lo que toca y recoge.
- Sus pies: que cuide sus pasos.
- Boca: que vele lo que dice.
- Sus deseos: que vigile, controle y cambie sus impulsos.
- Su energía: que entregue su fuerza, iniciativa y voluntad a Cristo.

Además, el discípulo debe entregarle todo a Cristo. Abandonar implica el dejar o despedirse de alguien; sin embargo, significa 'renunciar' cuando se emplea con respecto a cosas materiales. Tal es su uso en el versículo 33. Jesús no está diciendo que el discípulo deba vender todas sus posesiones, sino entregárselas y a su vez, lo hará mayordomo de las suyas.

Compare la reacción del joven rico con los requisitos del discipulado (Lc 18: 18-30). ¿Qué no pudo entender?

_____

_____

_____

_____

Medite en su vida, ¿habrá algo que esté impidiendo su discipulado? Escríbalo.

_____

_____

En Lucas 14: 34-35, Jesús concluye su discurso con una advertencia contra seguirlo sin entusiasmo y sin haber tomado en cuenta el costo:

> *Buena es la sal; pero si la sal se hace insípida, ¿con qué se sazonará? Ni para la tierra ni para el muladar es útil; la arrojan fuera. El que tiene oídos para oír, oiga.*

Jesús dice enfáticamente que los que no toman en serio las demandas del discipulado son como la sal insípida. Por lo tanto, no puede usarlos en el ministerio del reino. La falta de las cualidades verdaderas del discipulado (amar al Señor, cargar la cruz diariamente y tomar en cuenta el costo) dificulta el seguir al Señor. Jesús concluye: «El que tiene oídos para oír, oiga». En otras palabras, hay que comprender el precio y la prioridad del discipulado. De lo contrario no podemos ser sus discípulos.

La productividad de un discípulo

En nuestra última lección exploraremos el capítulo 15 de Juan, el cual forma parte del discurso de despedida de Jesús para sus discípulos. Aquí los instruye sobre tres relaciones vitales (Jn 15: 1-27): con su Señor (vv. 1-10), los unos con los otros (vv. 11-17) y el mundo (vv. 18-27). La primera es fundamental para nuestro estudio. A continuación, aparece un bosquejo del capítulo 15 de Juan, tomado del libro, *El pastor hacedor de discípulos* de Bill Hull:

- Un discípulo permanece en Cristo (v. 7)
- Un discípulo es obediente (v. 9)
- Un discípulo da fruto (vv. 8, 16)
- Un discípulo glorifica a Dios (v. 8)
- Un discípulo tiene alegría (v. 11)
- Un discípulo ama como Cristo ama (15: 12-14: 17)

A lo largo de nuestro examen del capítulo 15 de Juan veremos alguna de estas características. Sin

114

embargo, nos enfocaremos en el objetivo del discípulo: dar fruto. Jesús comienza esta enseñanza con el último "Yo Soy" de este evangelio (8: 12; 10: 9, 6: 35; 11: 25-26; 14: 6).

Lea las otras referencias «Yo soy» y explíquelas en el espacio provisto:

_____
_____
_____
_____
_____
_____

Jesús se ha presentado como el dador de la vida que invita a otros a seguirlo. Pero en esta ocasión está dirigiéndose a los que aceptaron su invitación y están en el camino al discipulado. Aquí en‑ fatiza que deben permanecer en Él, como ilustra con la imagen de la vid y sus ramas: «Yo soy la vid verdadera y mi Padre es el labrador» (Jn 15: 1). No sabemos por qué escogió este ejemplo. Se cree que este discurso fue dado en algún lugar cercano al aposento alto y al de Getsemaní. Algu‑ nos sugieren que mientras pasaban por el Templo vieron la vid de oro que adornaba las puertas de bronce. Esta imagen proviene del Antiguo Testamento, en donde Israel es descrito como una vid:

> Hiciste venir una vid de Egipto; echaste las naciones y la plantaste. Limpiaste el terreno para ella, hiciste arraigar sus raíces y llenó la tierra (Sal 80: 8-9).

Jeremías continúa esta simbolismo en dos versículos separados:

> Te planté de vid escogida, toda ella de buena simiente, ¿cómo, pues, te me has vuelto sarmiento de vid extraña? (2: 21).

> Así dijo Jehová de los ejércitos: «Del todo rebuscarán como a vid al resto de Israel; vuelve a pasar tu mano como vendimiador entre los sarmientos» (6: 9).

Sin embargo, el pasaje más conocido ha sido llamado, La canción de la viña, en el capítulo 5 de Isaías:

> Ahora cantaré por mi amado el cantar de mi amado a su viña. Tenía mi amado una viña en una ladera fértil. La había cercado y despedregado y plantado de vides escogidas; había edificado en medio de ella una torre y había hecho también en ella un lagar; y esperaba que diera uvas buenas, pero dio uvas silvestres... Ciertamente la viña de Jehová de los ejércitos es la casa de Israel, y los hombres de Judá, planta deliciosa suya. Esperaba juicio, y hubo vileza; justicia, y hubo clamor... (5: 1-2, 7).

Cada verso presenta a Israel como una vid degenerada, seca, marchita y quemada (Ez 19: 12), cuando debió haber sido "la viña más fértil" (Is 5:2). Jesús usa este trasfondo para presentarse como la Vid verdadera. Ahora expande la metáfora para incluir a los creyentes.

¿Por qué dice: "Yo Soy la Vid verdadera"? *Verdad* proviene de *alethea*, que significa 'genuino'. J. Vernon McGee comenta que es un contraste entre la verdad y el error, de algo que no puede ser veraz y falso a la vez. La segunda definición encaja en el contexto de nuestro pasaje. Esta palaba es usada en otras dos ocasiones en el Evangelio de Juan. En primer lugar, Juan el Bautista fue un reflejo, pero Jesús es la Luz verdadera (1: 6-9). En segundo lugar, Moisés repartió pan en el desierto, pero Jesús es el verdadero (6: 22-33). En el capítulo 15 marca el contraste entre Jesús e Israel, pues no basta con identificarse con la nació o la religión judía. Está diciendo que el discípulo no puede dar fruto si está desconectado de Él. Debe tener una relación conmigo. Debe estar conectado a mí. Además, la identificación con Cristo Jesús es más importante que el sistema religioso u organización en particular.

Después de esa declaración revolucionaria, Jesús añade: «Mi Padre es el labrador». Era una declaración controversial, porque los pasajes del Antiguo Testamento describen a Dios como el dueño de la viña. Labrador o viñador es sinónimo de agricultor o jardinero a cargo de la viña. El Padre es responsable de tenderla, regarla, cultivarla y protegerla para que dé el fruto apropiado. De esta manera reaplica *La canción de la viña* de Isaías, en donde Dios solamente obtuvo uvas agrias (Is 5: 1-7).

El versículo1 identifica las funciones de Jesús y el Padre en el desarrollo de los discípulos. Empero, a partir del versículos dos, vemos el proceso que el Padre utiliza para que den fruto y la clase de relación que deben tener con Cristo (la vid).

Ahora debemos preguntarnos qué es el fruto. Nótese que es mencionado seis veces en los diez primeros versículos. Algunos creen que trata sobre ganar a otros para Cristo y citan a Pablo: «Pero no quiero, hermanos, que ignoréis que muchas veces me he propuesto ir a vosotros para tener también entre vosotros algún fruto, como lo he tenido entre los demás gentiles, pero hasta ahora he sido estorbado» (Rm 1: 13). Sin lugar a dudas hay que ganar a otros para Cristo. No obstante, Bruce Wilkinson, autor de *Secretos de la vid*, sugiere que el fruto representa las buenas obras y acciones que glorifican a Dios. Por eso Jesús afirma: «En esto es glorificado mi Padre: en que llevéis mucho fruto y seáis así mis discípulos» (Jn 15: 8). Pablo lo confirma en sus escritos (Ef 2: 10; Tit 2: 14).

Lea Efesios 2: 10 y Tito 2: 14 y explique qué significa dar buenas obras:

_____

_____

_____

_____

_____

Pablo añade que debemos llevar fruto interno y externo. Debemos dejar que Dios nutra ciertas cualidades en nuestro interior, y lo que hace a través de nosotros es el fruto exterior.

Lea Gálatas 5: 22 y anote el fruto que nace en nuestro interior:

_____

_____

_____

Lea 2 Corintios 9: 8 y explique cómo Dios permite que demos fruto externo:

_____

_____

_____

Lea Mateo 25: 31-40 e identifique las distintas formas de evidenciar el fruto:

_____

_____

_____

_____

_____

Jesús resalta el valor del fruto de sus discípulos: «No me escogieron ustedes a mí, sino que yo los escogí a ustedes y los comisioné para que vayan y den fruto, un fruto que perdure. Así el Padre les dará todo lo que le pidan en mi nombre» (Jn 15: 16, NVI). Es decir, el fruto es el único depósito permanente en el cielo. ¡El fruto genuino es duradero! (v. 16). Y según Pablo, es la razón de nuestra salvación: «… pues somos hechura suya, creados en Cristo Jesús para buenas obras, las cuales Dios preparó de antemano para que anduviéramos en ellas» (Ef 2: 10).

Ahora que entendemos que Jesús desea que produzcamos buenas obras (fruto), prestemos atención al proceso. Bruce Wilkinson identifica cuatro tipos de portadores de fruto en Juan 15:

- "No lleva fruto" (v. 2)
- "Fruto" (v. 2)
- "Más fruto" (v. 2)
- "Mucho fruto" (v. 5)

Cada discípulo debe alcanzar el cuarto nivel: llevar mucho fruto. ¿Cómo? Jesús explica el versículo 2: «Todo pámpano que en mí no lleva fruto, lo quitará; y todo aquel que lleva fruto, lo limpiará, para que lleve más fruto».

Jesús está dirigiéndose a sus seguidores que tienen una relación personal con él, quienes se encuentran en diferentes etapas de su desarrollo espiritual. El objetivo es que profundicen en su intimidad con Él. Su trabajo es velar que den fruto.

Jesús afirma que el Viñador "quita" las ramas que no producen y "limpia" a las que dan fruto. Algunos comentaristas sugieren que la aplicación aparece en el capítulo 13, en donde Judas es quitado (vv. 21-30), mientras que el resto de los discípulos son limpiados (v. 10). Sin embargo, para los fines de este estudio debemos aplicar otra interpretación.

La primera frase del versículo 2 del capítulo 15 de Juan, "lo quita", pudiera ser traducida como, "lo levanta". Esta definición aparece en otros pasajes del Nuevo Testamento. Por ejemplo, es la expresión usada para referirse al recogido de las doce canastas de alimento en el versículo 20 del capítulo 14 de Mateo. Es la que describe a Simón de Cirene cuando fue obligado a "cargar" la cruz de Jesús (Mt 27: 32). También es usada para describir a Jesús como el Cordero de Dios que "quita" el pecado del mundo (Jn 1: 29). Pero, ¿cuál es su aplicación al discipulado?

Para ello debemos repasar la información sobre los viñedos del Oriente Medio, en donde los pámpanos caídos no reciben suficiente luz y están sucios. Eso impide que el pámpano dé fruto. El labrador tiene que "levantarlo", lavarlo y atarlo a un poste para que dé fruto. Dios lo hace de dos maneras. En primer lugar, disciplina al discípulo. El autor de Hebreos dice: «Hijo mío, no menosprecies la disciplina del Señor ni desmayes cuando eres reprendido por él, porque el Señor al que ama, disciplina, y azota a todo el que recibe por hijo» (12: 5-6).

Lea Hebreos 12: 5-6 y explique los tres métodos disciplinarios a continuación:

_____
_____
_____
_____

Dios nos disciplina para que seamos más fructíferos, productivos. Lea Hebreos 12: 11 y responda cuál es el objetivo de la disciplina:

_____
_____
_____
_____

Dios usa la disciplina para que los pámpanos produzcan el fruto y las mantiene limpias para que aumenten su capacidad. El objetivo es que lleven más fruto. Bruce Wilkinson comenta que, "la vid crece cada año, pero tiene que ser podada seguido". Hay que limpiar los pámpanos para que rindan el máximo. Dios tiene dos métodos primordiales para lograrlo. En primer lugar, prueba la fe, como vemos en ambos testamentos:

> *Hiciste cabalgar hombres sobre nuestra cabeza. ¡Pasamos por el fuego y por el agua, pero nos sacaste a la abundancia!* (Sal 66: 12).

> *Hermanos míos, gozaos profundamente cuando os halléis en diversas pruebas, sabiendo que la prueba de vuestra fe produce paciencia. 4 Pero tenga la paciencia su obra completa, para que seáis perfectos y cabales, sin que os falte cosa alguna* (St 1: 2-4).

> *Por lo cual vosotros os alegráis, aunque ahora por un poco de tiempo, si es necesario, tengáis que ser afligidos en diversas pruebas, para que, sometida a prueba vuestra fe, mucho más preciosa que el oro (el cual, aunque perecedero, se prueba con fuego), sea hallada en alabanza, gloria y honra cuando sea manifestado Jesucristo* (1 P 1: 6-7).

Lea los versículos anteriores y explique qué es la prueba de la fe y cómo efecta nuestra productividad:

_____
_____
_____
_____

_____
_____
_____
_____

En segundo lugar, Dios nos limpia a través de su Palabra: «Ya vosotros estáis limpios por la palabra que os he hablado» (Jn 15: 3). Jesús ha purificado a los suyos. Palabra se deriva del griego *logos* e implica toda su enseñanza o mensaje hasta este punto de su desarrollo espiritual. Claro, aunque los discípulos no tenían el canon de la Escritura, creo que también es un agente purificador. Después de todo, Jesús oró: «Santifícalos en tu verdad: tu palabra es verdad» (Jn 17: 17). Su oración aplica a los creyentes de todas las épocas. Así que la Palabra todavía nos purifica. Ambos testamentos enfatizan su importancia para el discipulado.

Lea 1 Pedro 1: 23 y explique el papel que la Palabra jugó en su experiencia de conversión:
_____
_____
_____
_____

Lea el Salmo 119: 9 y explique cómo debemos mantener una vida pura ante Dios:
_____
_____
_____
_____

¿Cómo la Palabra impide que pequemos (Sal 119: 11)? Escriba su respuesta en el espacio provisto:
_____
_____
_____
_____

Lea Santiago 1: 22 y escriba qué debemos hacer con la Palabra:
_____
_____
_____
_____

Lea Santiago 1: 23-24 y describa al que oye, pero no hace la Palabra de Dios:
_____
_____
_____
_____

Hace un momento discutimos el proceso del Padre para aumentar nuestra fertilidad. Sin embargo, ahora el capítulo 15 de Juan habla sobre el vínculo del pámpano con la vid. Jesús dice que la única manera de llevar fruto es que permanezcamos en él:

> *Permaneced en mí, y yo en vosotros. Como el pámpano no puede llevar fruto por sí mismo, si no permanece en la vid, así tampoco vosotros, si no permanecéis en mí. Yo soy la vid, vosotros los pámpanos; el que permanece en mí y yo en él, éste lleva mucho fruto, porque separados de mí nada podéis hacer* (Jn 15: 4-5).

La palabra clave es *permanecer*. Jesús la usa diez veces en seis versículos. De hecho, aparece cuarenta veces en el Cuarto Evangelio y sesenta y ocho en las epístolas juaninas. Además, es usada unas ciento dieciocho veces en el Nuevo Testamento. *Permanecer* se deriva del verbo griego *meno* y significa, 'mantenerse sin mutación en un mismo lugar' (Mt 10: 11; 26: 38; Lc 19: 5; Jn 1: 38-39; 7: 9; Hch 9: 43). Empero, Jesús está refiriéndose a la decisión de continuar en una relación (tal es su uso en el resto de las epístolas de Juan). Los versículos del 1 al 16 del capítulo 15 de Juan condicionan el fruto de los discípulos a su relación con Cristo. Nótese que es una orden. Por lo tanto, los pámpanos deben permanecer atados a la vid para que lleven mucho fruto.

Bruce Wilkinson lo resume de esta manera: "Si su vida produjera mucho fruto, Dios lo invitaría a una intimidad más profunda". Así que Jesús afirma que es la Vid y los discípulos son sus pámpanos: «Permaneced en mí, y yo en vosotros...». Y añade: «... porque separados de mí nada podéis hacer». No está refiriéndose a la inhabilidad de funcionar en la vida cotidiana, sino a dar un fruto espiritual y permanente. Lea la siguiente cita:

> El fruto no radica en las acciones, sino en la vida de Jesús manifestada en los discípulos. Ellos manifiestan su carácter y comparten su amor con otros. Esto depende de la permanencia en Jesús, morar en él de la misma manera en que él mora en ellos. Su vida se comparte con los discípulos como su vida es dado [enviado] a él.

Sobre la responsabilidad de los discípulos de mantener su relación con Cristo, encontramos esta cita:

> Más que el creer en Él, la permanencia implica una unidad, el compartir de los pensamientos, las emociones, intenciones y poder. Se trata de una relación mutua. La Divinidad debe tomar la iniciativa y proporcionar los medios y la capacidad para esta unión, pero aun así requiere la respuesta del discípulo.

Por lo tanto, permanecer (15: 5-7, 9, 10) revela que el discípulo, en quien el Padre y el Hijo moran (14: 20, 23) a través del Espíritu (14: 16, 25; 15:26) depende por completo de Cristo. El discipulado ocurre cuando Jesús es parte de nuestra vida espiritual. Jesús hace una advertencia sobre los que no permanecen en él: «El que en mí no permanece, será echado fuera como pámpano, y se secará; y los recogen, los echan en el fuego y arden» (v. 6).

Pero, ¿qué significa que, «... será echado fuera como pámpano, y se secará; y los recogen, los echan en el fuego y arden»? Algunos lo interpretan como una referencia al juicio escatológico del infierno

(Mt 3: 10; 7: 19; Mc 9: 43; Lc 3: 9; Jn 5: 29) que aguarda a los que no permanecen en la Vid (Jesús) y es claro que Cristo no creía en, "una vez pámpano, siempre pámpano". Además, esta parábola enseña que los verdaderos creyentes pueden abandonar la fe y darle la espalda a Jesús. Sin embargo, el contexto inmediato sugiere que los discípulos que no logran mantener su relación con Cristo, es decir, que no permanecen en él, pierden su eficacia como testigos y portadores del fruto espiritual. Por lo tanto, son tan frágiles como la madera que alimenta el fuego. Esta ilustración resuena con Ezequiel, capítulo 15, versículos del 1al 8 del, el cual compara a los habitantes de Jerusalén con madera inútil. Fuera de Cristo somos estériles e inútiles para el Reino.

Lea Ezequiel 15: 1-8 y explique por qué Israel era como la madera. Compárelo con el capítulo 15 de Juan:

_____

_____

_____

_____

Lea 1 Corintios 3: 10-15 y explique la importancia del fundamento de la vida cristiana. ¿Cómo Dios juzgará nuestras obras?

_____

_____

_____

_____

Los versículos del 1 al 6 del capítulo 15 de Juan expresan que el fruto del discípulo depende de su relación con Cristo. Ahora Jesús indica los dos elementos cruciales para lograrlo: guardar sus palabras y comprometerse con él. Dice: «Si permanecéis en mí y mis palabras permanecen en vosotros, pedid todo lo que queráis y os será hecho». Nótese que este versículo ofrece una condición para el mantenimiento de la relación espiritual. Cada discípulo debe decidir a diario si permanecerá en Cristo. A tales fines, debe dejar que sus palabras "permanezcan" en su interior. Debe comprometerse con las Escrituras.

Lea Juan 8: 31 y escribe qué dice Jesús acerca de sus enseñanzas y el discipulado:

_____

_____

_____

_____

Lea Colosenses 3: 16 y explique a qué se refiere Pablo cuando dice: «La palabra de Cristo habite en abundancia en vosotros»:

_____

_____

_____
_____

Lea 2 Timoteo 2: 15 y explique por qué debemos esforzarnos durante el estudio bíblico. ¿Qué significa, «… usa bien la palabra de verdad»?

_____
_____
_____
_____
_____

Lea 1 Pedro 3: 15 y explique por qué debemos estar preparados para responder por la esperanza que tenemos:

_____
_____
_____
_____

El discípulo que decide permanecer en Cristo debe comprometerse con la oración: «… pedid todo lo que queráis y os será hecho». Algunos creen que se trata de una "carta blanca". Sin embargo, debemos leerlo junto con otros pasajes sobre la oración.

Lea 1 Juan 3: 22 y escriba cuáles son las condiciones para recibir la respuesta a la oración:

_____
_____
_____
_____

Lea 1 Juan 5: 14-15 y explique cuál debe ser la actitud de la oración:

_____
_____

Nótese que Jesús condiciona la eficacia de la oración en el versículo 7 del capítulo 15: «Si per–manecéis en mí y mis palabras permanecen en vosotros...». La eficacia de la oración depende que permanezcamos en Cristo y guardemos sus palabras. En esencia la oración (comunicación con Dios) es la base para permanecer en Cristo y ser su discípulo. Dios nos habla a través de las Escrituras y nosotros respondemos en oración.

Jesús concluye su enseñanza sobre el fruto espiritual diciendo: «En esto es glorificado mi Padre: en que llevéis mucho fruto y seáis así mis discípulos» (v. 8). Hemos sido llamados a dar un fruto permanente: «No me elegisteis vosotros a mí, sino que yo os elegí a vosotros y os he puesto para que vayáis y llevéis fruto, y vuestro fruto permanezca; para que todo lo que pidáis al Padre en mi nombre, él os lo dé» (v. 16).

Lea Juan 15: 12-17 y explique cómo los discípulos deben relacionarse con los demás:

_____

_____

_____

_____

Lea Juan 15: 18-25 y explique cómo los discípulos deben relacionarse con el mundo:

_____

_____

_____

_____

_____

_____

_____

_____

Conclusión

Este estudio trata sobre los principios del discipulado cristiano. Empezamos con la Gran Comisión de hacer discípulos (Mt 28) y terminamos con el perfil del discípulo (Jn 15). Hay que ser un discípulo antes de salir en busca de otros: «Venid en pos de mí, y haré que seáis pescadores de hombres» (Mc 1: 17). Observe la secuencia: discipulado (siga) y luego, hacer discípulos (pescadores de hombres). Entretanto aprendemos de Cristo y a llevar su yugo. Cristo debe ser la máxima prioridad de nuestra vida. En resumen, el discípulo ha sido llamado a dar fruto y probarlo: «Así que por sus frutos los conoceréis» (Mt 7: 20).

Bibliografía

Arrington, French L. *The Spirit-Anointed Jesus: A Study of the Gospel of Luke.*
   Cleveland, Tenn.: Pathway Press, 2008.

Bonhoeffer, Dietrich. *The Cost of Discipleship.*
   New York: MacMillan Publishing, 1997.

Culpepper, Raymond F. *The Great Commission: The Solution.*
   Cleveland, Tenn.: Pathway Press, 2009.

Evans, Tony. *What Matters Most: Four Absolute Necessities for Following Christ.*
   Chicago: Moody Press, 1997.

_____. *What a Way to Live: Running All of Life by the Kingdom Agenda.*
   Nashville, Tenn.: Word Publishing, 1997.

Holman Christian Standard Study Bible.
   Nashville, Tenn.: Holman Bible Publishers, 2010.

Hull, Bill. *The Disciple-Making Pastor.*
   Grand Rapids, Michigan: Fleming H. Revell, 1999.

McGee, J. Vernon. *Thru the Bible Commentary Series: John Chapters 11-21.*
   Nashville, Tenn.: Thomas Nelson, 1995.

Preacher's Outline and Sermon Bible: Luke. Vol.4 2nd ed.
   Chattanooga, Tenn.: Alpha-Omega Ministries, 1996.

Wilkinson, Bruce. *Secrets of the Vine.* Sisters,
   Oregon: Multnomah Press, 2001.

Willis, Avery T., Jr., Moore, Kay. *The Disciple's Cross: MasterLife.*
   Nashville, Tenn.: LifeWay Press, 2009.

SECCIÓN 13

Ministerio de Asimilación

Ayude a la gente a encontrar su lugar dentro de la iglesia

Larry Evans

Ayude a la gente a encontrar su lugar

Visión ministerial

La iglesia debe amar, aceptar e interesarse por todo aquel que entre por sus puertas. Esto requiere un plan de seguimiento que imparta un sentido de pertenencia. El fin es que cada persona se sienta facultada para ejercer sus dones ministeriales y comprometerse con su iglesia.

El punto de partida: la evangelización.

La iglesia debe invitar a la gente a los servicios. A continuación, encontrará una lista de sugerencias, las cuales difieren en presupuesto y organización:

1. Festivales (para niños, etc.).
2. Auspiciar actividades comunitarias junto con otras organizaciones cívicas.
3. Eventos deportivos gratuitos.
4. Servicios de recordación.
5. Torneos de golf.
6. Reconocimientos a los servidores públicos (policía, bomberos, militares, etc.).
7. Noches de cine (con palomitas de maíz y bebidas).
8. Conciertos gratuitos en el verano.
9. Escuela bíblica de vacaciones.
10. Parrilladas comunidad/barrio y fiestas.
11. Torneos.
12. Demostraciones.
13. Servicios especiales a través del año.
14. Cuido de niños para que los padres salgan a divertirse.

Estas actividades requieren más esfuerzo, coordinación y dinero que los proyectos de servicio comunitario, pero alcanzará más gente. Investigue los planes de su asociación de vecinos. Patrocine esas actividades comunitarias.

Ofrezca clases y talleres de diversos temas:

1. Seminarios para padres y madres.
2. Orientaciones para los vecinos nuevos sobre el proceso de adaptación y los servicios de la comunidad (puede ofrecerlo a los estudiantes universitarios).
3. Talleres para matrimonios.
4. Manejo de las finanzas.
5. Manejo del tiempo.

6. Conocimiento básico de tecnología.
7. Adiestramiento de empleo.
8. Jardinería.

La clave para seleccionar un curso es preguntarse a quién desea alcanzar, cuán grande es la necesidad, en dónde lo impartirá y quién estará a cargo (es decir, un líder comunitario creíble, como un principal de escuela). Sea creativo. Aproveche para fortalecer sus lazos con la comunidad a través de la búsqueda de recursos e instalaciones.

Los proyectos de servicio comunitario suelen ser más pequeños y cuestan poco. Por ejemplo:

1. Adopte una carretera.
2. Servicio voluntario en las escuelas.
3. Lavado de autos.
4. Bombear gasolina y limpiar vidrios.
5. Llevar la compra hasta el auto.
6. Regalar agua embotellada.
7. Regalar sellos en la oficina de correos.
8. Visitar los asilos.
9. Llevar almuerzo a los bomberos y la policía local.
10. Mantener un huerto comunitario en los terrenos de la iglesia que sea usado para alimentar a la comunidad.

Estas actividades conllevan distintos tipos de planificación y presupuestos[1]. Desafíe a las células a que participen en estos servicios. La idea es que cada uno se encargue de una actividad semanal.

Además, tenga en cuenta que...

Si sus invitados no tienen una buena experiencia en su primera visita a la iglesia, habrá perdido su tiempo, esfuerzo y dinero. Por lo tanto, vaya más allá de sus expectativas. Haga todo con el invitado en mente. No tendrá una segunda oportunidad para impresionarlo. Esto lo trataremos a continuación.

---

[1]Visite **Random Acts of Kindness Institute**:http://www.randomactsofkiness.org/

Antes del servicio (de la calle al asiento):

1. En el estacionamiento:

   a. Separe espacios para las visitas.

   b. Las visitas deben reconocerlos de inmediato.

2. Entrada:

   a. Identifique claramente las entradas de la iglesia.

   b. La entrada principal debe estar limpia y tener un aroma agradable.

   c. Los ujieres deben recibir a las visitas con una sonrisa y guiarles en el santuario:

   > Deben estar presentables. Asegúrese de que tengan un buen aliento y perfume.

   > Cada uno debe estar debidamente identificado.

   > Reciba a los invitados con una sonrisa y una copia del programa.

   > No use más de dos ujieres en la puerta.

   > Si es posible, coloque ujieres en cada entrada o en los pasillos principales.

3. Direcciones:

   a. Coloque rótulos en cada una de las áreas del templo:

   > Baños.

   > Guardería y cuido.

   > Cafetería, etc.

   > Escaleras hacia el balcón.

   > Salones.

   > El personal debe estar listo para contestar las preguntas.

4. Tratamiento:

   a. Reciba calurosamente a sus invitados.

   b. Es importante que extienda la "alfombra roja" siempre.

   c. Separe un área para recibir a las visitas (téngalo listo antes y después del servicio para asegurarse de atender las visitas).

   > Coloque a sus ujieres más amistosos.

> Ofrezca café, té, jugo, agua, etc.

> Ofrezca dos clases de alimentos (galletas o donas). La comida siempre impresiona a la gente. Ofrezca algo de calidad.

> Reparta información acerca de la iglesia (boletín, tarjetas de información, etc.).

5. Guíe al invitado a su asiento:
   a. Los ujieres deben estar cerca de los asientos.
   b. El ujier debe guiar a la visita hasta su asiento:
      > Deben estar identificados y presentables. Así el invitado sabrá que esta persona va a ayudarlo.
      > Los invitados deben recibir un apretón de manos y una sonrisa.
      > Sean guías alegres.
      > Pregúnteles si desean sentarse en un lugar en particular (si estuviera disponible).
      > Llévelos al mejor asiento, pero evita la primera fila.
      > Solicite amablemente que otros cedan su espacio.
      > Siempre pregunte si necesitan algo.
      > Regrese a su puesto.

> **La persona sentada podrá disfrutar del servicio. Todo lo que haga debe ser dirigido a la visita. Ofrezca información sobre la iglesia y tome los datos de cada visitante.**

Solicite la información de la visita:

1. Tome los datos de cada visita durante el tiempo de saludo o mientras reparte los folletos sobre la iglesia (números de teléfono, páginas electrónicas, direcciones en las redes sociales, etc., así como una tarjeta desprendible). Solicite:

   a. Nombre (incluyendo el nombre del cónyuge e hijos).

   b. Dirección electrónica.

   c. Dirección y número de teléfono.

   d. Edad (la edad de los niños incluyen).

   e. Cómo conocen a la iglesia.

   f. Su petición de oración.

2. Deles las instrucciones y el tiempo para que completen la información (pueden devolverlas en la ofrenda).

a. Ofrezca un regalo a cambio de completar la tarjeta

b. También pueden completarla durante el compartir posterior al servicio.

c. Regale algo inspirador (libro, tarjeta de regalo, etc.) en lugar de una taza o bolígrafo.

Ahora debe planificar el seguimiento.

> **De lo contrario de nada valdría que recogiera esos datos personales. Asegúrese de archivarla debidamente.**

Después del servicio:

1. El pastor, la pastora y los líderes deben presentarse durante el compartir con las visitas:

   a. Prepare un centro de comentario/información a la salida del templo para que atienda a los que tengan que salir pronto.

   b. Sus voluntarios deben tener el don de gentes y estar dispuestos a contestar cualquier pregunta.

2. Ambas áreas deben:

   a. Estar bien rotuladas y de fácil acceso.

   b. Ofrecer información sobre los ministerios de la iglesia (niños, jóvenes, grupos pequeños, etc.).

   c. Información sobre los pasos para unirse a la iglesia, el bautismo, etc.

   d. Tarjetas para recoger la información de los invitados.

   e. Regalo para las visitas cuando entreguen su tarjeta (un libro corto, una tarjeta para un café, música, etc.).

   f. Incluya una nota de su pastor/pastora dándoles las gracias por su visita.

Durante la semana:

1. Organice un grupo de voluntarios para esta tarea. Asegúrese de que sea un equipo confiable.

2. Su objetivo es transmitir su aprecio por las visitas. Por lo tanto:

   a. Envíe un mensaje electrónico a las 36 horas. ***Nota:*** *Limítese a las personas que hayan expresado su preferencia de comunicarse por este medio. De lo contrario use la "tarjeta de seguimiento" (letra d).*

   b. Este mensaje tiene como objetivo:

> Expresar su aprecio por la visita e invitarlos al próximo domingo.

> Envíelo a nombre de su pastor/pastora y siga el patrón de la nota que incluyó en cada obsequio.

> Personalícelo con referencias al sermón, etc.

> Incluya un enlace a un cuestionario breve y positivo:

- ¿Qué fue lo primero que notó?

- ¿Qué fue lo que más disfrutó?

- ¿Cuál es su impresión general?

- ¿Tiene alguna petición de oración?

c. Envíelo el lunes por la tarde, cuando la gente está buscando una distracción en su trabajo.

d. Tarjeta de seguimiento (sustituye el correo electrónico):

> Envíela antes del martes para que llegue el jueves.

> Use un sobre llamativo.

> Incluya otra nota escrita a mano por su pastor o pastora. No use mensajes genéricos.

> Su meta es que se sientan apreciados.

> Si puede, incluya más información sobre la serie de sermones.

Carta de seguimiento al mes:

1. Envíe una carta a las personas que no hayan regresado a la iglesia. No los incomode, pero déjeles saber que son apreciados.

2. Use el membrete oficial de la iglesia:

a. Agradézcales la visita.

b. Explique la misión de la iglesia.

c. Mencione alguna actividad cercana (una nueva serie, células, etc.).

d. Póngase en la mejor disposición de ayudarlos.

e. Incluya la informaron de contacto (página electrónica).

f. Dígales que espera verlos pronto.

g. Firmada por el pastor o la pastora.

h. Incluya un CD del mensaje.

Los que regresan al templo:

1. Entrégueles una tarjeta y pídales que marquen que es su segunda visita:

   a. Empiece los pasos para encaminarlos hacia el discipulado.

   b. Explíqueles cómo pueden ser parte de la iglesia (use el folleto para visitas).

2. Deles la oportunidad de comprometerse, invitándolos a escuchar más información acerca de la iglesia:

   a. Envíeles un mensaje a las 36 horas:

   > Agradézcales su visita.

   > Invítelos a contestar otro cuestionario:

   - ¿Por qué decidió visitarnos una segunda vez?

   - ¿Cuál es su mejor recuerdo?

   - ¿Se atrevería a invitar a sus amigos o familiares? ¿Por qué?

   - ¿Cómo podríamos mejorar su experiencia?

   > Sus respuestas determinarán los pasos siguientes.

   b. Carta de seguimiento (para los que prefieran el servicio postal):

   > Gracias por su visita.

   > ¿Cómo podemos servirle?

   > Anímelos a dar los próximos pasos.

Procedimiento para recibir a los miembros nuevos:

Mantenga el contacto con las personas que regresen por segunda vez:

1. Organice una clase para nuevos creyentes/fundamentos (sobre todo para los que nunca habían sido parte de una iglesia).

   a. La clase se llevará a cabo durante ocho semanas en un ambiente amigable.

   b. Nombre a un maestro que siente un fundamento bíblico y sepa responderles a los nuevos creyentes.

2. Clases para miembros nuevos (trimestrales).

   a. El pastor o la pastora podrían encargarse de la orientación sobre la iglesia, sus ministerios, enseñanzas y los requisitos de membresía.

   b. Cada líder tendrá la oportunidad de presentarse y dar a conocer su ministerio.

c. Cada miembro completará un formulario para ayudarle a escoger un programa. Las pre–
guntas serán:

> Edad

> ¿Casado o soltero? ¿Hijos? ¿Edades?

> ¿Cuánto tiempo lleva en los caminos del Señor?

> ¿Cuál es su estilo de aprendizaje?

> Lista de las clases, los programas y horarios. ¿Cuál les interesa?

d. El coordinador de los ministerios[2] impartirá el cuestionario sobre los dones espirituales
para que cada persona encuentre su llamado.

e. Aquellos que sean nuevos en la Iglesia de Dios serán orientados sobre las doctrinas y
creencias de la denominación y los requisitos de la membresía. El pastor o la pastora
estarán a cargo de estas cuatro sesiones de una hora.

f. Cada persona debe llenar una solicitud de membresía y firmar un compromiso de acuerdo
con los requisitos de la Iglesia de Dios (Cleveland, TN).

3. Evaluación del cuestionario espiritual (después de la orientación para nuevos miembros).

a. El coordinador de los ministerios se reunirá con cada hermano y hermana para mostrarles
los resultados del cuestionario.

b. El coordinador presentará las opciones ministeriales que concuerden con los dones de
cada miembro.

**Prepare una agenda de las actividades. Así será más fácil completar el proceso
de asimilación y la planificación del discipulado.**

Encuentre su lugar: la participación

Cada miembro será puesto bajo la tutela de un anciano[3]. Los ancianos atenderán sus necesidades
especiales y seguirán el protocolo para los que han dejado de congregarse.

1. Ausente por tres semanas:

a. Enviar una postal de "te extrañamos".

---

[2] Alguien debe de encargarse de asyudar a la gente a que descubra sus dones ministeriales.
[3] Cada anciano será responsable de pastorear a los miembros. Siempre estarán bajo la supervisiuón de su pastor o pastora. Este ministerio es valioso para las iglesias que están creciendo

b. Incluir una nota personal. Algunos tendrán razones válidas para haberse ausentado. Por lo tanto, queda a su discreción si enviara la postal.

2. Ausente por cuatro semanas:

a. Haga una llamada telefónica.

b. No los regañe, sino infórmese sobre su situación.

3. Ausente durante ocho semanas:

a. El pastor o la pastora deben enviar un mensaje y el anciano debe llamar de nuevo.

b. Invítelos a una actividad de la iglesia.

4. Ausente por más de ocho semanas:

a. Manténgalos en la lista, pero deje que decidan si volverán a la iglesia.

b. El anciano debe estar pendiente de los patrones de asistencia.

El coordinador de los ministerios dará a conocer las oportunidades de reclutamiento.

1. Los nuevos miembros deben recibir la tutoría necesaria para que se conviertan en ministros:

a. Después de haber seleccionado un ministerio, trabajarán de cerca con su líder.

b. Los miembros reportarán cada semana su progreso con su líder.

c. El coordinador de ministerios llevará a cabo una segunda evaluación junto con los líderes.

2. Motive a los nuevos miembros:

a. Cada mes debe enviarles un mensaje personalizado o un boletín para elogiarlos por sus esfuerzos.
b. Celebre un banquete anual para los voluntarios de los Edificadores de Vida.

c. El pastor o la pastora enviarán una carta anual a los voluntarios en donde evaluarán su estado emocional y espiritual. Cada voluntario podrá responderles.

Cada miembro será invitado a involucrarse en el discipulado:

1. Durante el proceso de asimilación presente las opciones para las nuevas familias. Cada una debe haber completado un formulario sobre sus intereses.

2. Los líderes deben comunicarse con los interesados en sus programas.

> **Los miembros participarán en la medida en que sientan que están contribu—yendo y que reciben un ministerio de calidad.**

Una palabra final para los pastores y líderes:

Este manual trata de presentar un cuadro general de la asimilación en la iglesia. De ninguna manera pretende cubrirlo todo. Haga los cambios poco a poco. Use sus ideas. Analice qué funcionaría en su iglesia. El objetivo es que tenga resultados duraderos. Pero haga el esfuerzo para que no pierda a la gente. Qué el Señor lo bendiga.

SECCIÓN 14

Manual de ancianos

El ministerio de los ancianos

Propósito

Los ancianos y las ancianas de la iglesia son pastores del *rebaño de Dios*, tal y como ordena 1 Pedro 5:1-10. El pastor o la pastora supervisan su trabajo; por lo tanto, deben aprender a *apacentar al pueblo*.

El anciano es un *servidor* público.

El anciano es un *ayudante* del pastor y la pastora.

El anciano es un *exhortado*r y *edificador* de gente.

El anciano es un *compañero de oración* de sus pastores y los miembros que tiene a su cargo.

El anciano es un *modelo* de humildad genuina.

El anciano es un *evangelista*.

El anciano es un *modelo espiritual*.

El anciano es un *hacedor de discípulos*.

El oficio del anciano o presbítero

El oficio del anciano fue establecido en el Antiguo Testamento con el fin de supervisar a la comunidad de fe. El Nuevo Testamento dio continuidad a esta tradición, reconocida con dos títulos: *anciano* (Tit 1: 5) y *pastor* o *supervisor* (1 Ti 3: 1). Ambos títulos eran usados indistintamente. El apóstol Pedro los amonesta a que apacienten la grey de Dios (1 P 5: 1-2). El capítulo 20 de Hechos también usa ambos términos. Pablo estaba dirigiéndose a los *ancianos* de la iglesia de Éfeso (v. 17). Los manda a velar por sí mismos y el rebaño que les fue encomendado por el Espíritu Santo (v. 28).

Anciano se deriva del griego *presbuteros*, de donde obtenemos *presbítero*. Como tal se refiere a la dignidad y honra de los que ejercen el liderazgo en la iglesia. El término hebreo alude tanto a la edad como a la posición oficial en el sanedrín. La iglesia primitiva imitó la estructura de gobierno de la sinagoga. En el Nuevo Testamento se refiere a la dignidad, el honor, la madurez y la calidad de vida de la mujer o el hombre que retiene ese oficio.

Las personas que ocupan este cargo son reconocidas como ancianas. El pastor los selecciona para que velen por el bienestar espiritual de la congregación. A veces tienen a su cargo a cierto grupo de personas. En otras palabras, son los ayudantes del pastor y la pastora.

La vida del anciano

La Palabra dicta las virtudes del anciano: una vida intachable, sana doctrina, sabiduría en las cosas de Dios y discreción. Su vida debe ser un ejemplo para creyentes e impíos. La congregación debe estudiar estos pasajes y orar sobre las personas que serán ungidas para este oficio santo. Los principales pasajes sobre los ancianos son 1 Timoteo 3: 1-7 y Tito 1: 6-9.

1. Los ancianos deben ser testimonios del poder transformador de la gracia de Dios.
2. Sus relaciones personales deben ser íntegras dentro y fuera de la iglesia.
3. Deben ser honestos.
4. Deben ser irreprochables, irreprensibles, que nadie pueda señalarlos por su desobediencia.
5. Deben tener una reputación de piedad.
6. Deben congregarse. Su asistencia debe ser puntual, exceptuando los conflictos inevitables en el trabajo, la familia, sus vacaciones o asuntos de salud. La congregación debe verlos orando, ministrando y manifestando su vida espiritual.
7. Buenos ejemplos de integridad financiera. Deben ser diezmadores, generosos con sus ofrendas, límites de deuda y promesas. Nadie que esté atrasado con sus diezmos puede ser tomado en cuenta para este puesto (el diezmo es el 10% del salario entregado a la tesorería de la iglesia).

8. Deben asistir a las reuniones ordinarias y extraordinarias. Las ausencias justifican la destitución.

9. Que crean en la iglesia, la amen como Cristo y trabajen para que sea más eficaz en la evan–gelización.

10. Templados, sobrios, sin excesos.

11. Con buen dominio propio, moderados con sus impulsos y apetitos, sometidos a Dios.

12. Respetables, vivir de un modo ordenado y honorable.

13. Hospitalarios, amigables, generosos.

14. Sumisos, que tracen bien la Palabra de Dios, maestros que guíen a otros y reprendan a los que contradigan la verdad.

15. No deben ser bebedores de alcohol ni consumidores de sustancias controladas ni de tabaco, libres de adicciones.

16. Mansos, pero firmes, de temperamento templado, compasivo y considerado.

17. No pendencieros, que eviten las discusiones egoístas; siempre dados a buscar el mutuo acuerdo.

18. No amantes del dinero ni tacaños, sino generosos.

19. Maridos/esposas de un solo cónyuge. Puros, íntegros, castos y estables en sus hogares, guardianes del pacto matrimonial.

20. Buenos administradores de sus casas. Sus hijos deben saber comportarse. Debe ser buenos padres y madres.

21. Los ancianos deben ser creyentes maduros, quienes hayan comprobado su conversión, la profundidad de su espiritualidad y la promesa de Dios para su ministerio.

22. No deben ser autoritarios, inflexibles ni impositivos. Antes bien, deben anteponer los intere–ses de los demás a los propios, siempre dispuestos a escucharlos y servirles.

23. Que sean pacientes y reflexionen antes de actuar, amables y pacificadores.

24. Amadores de lo bueno, buscadores de la voluntad de Dios en todo; que trabajen y oren por el bien común.

25. No amadores de ganancias deshonestas, transparentes en sus negocios.

26. Los ancianos son verticales, justos e imparciales. Sus decisiones deben tener un fundamento bíblico.

27. Deben ser santos, reverentes, que constantemente se mantengan apartados del pecado, dedicados a la oración, el estudio de las Escrituras y su vida espiritual. Deben buscar la santidad y pureza de vida.

28. Deben guardar la Palabra, estar firmes en la fe, ser obedientes y sometidos al Espíritu Santo.

29. Su vida sexual debe ser pura, libre de adulterio, fornicación, homosexualidad, conductas indecentes, pornografía o adicciones sexuales. Deben ser ejemplos de moral, que sepan comportarse con el sexo opuesto, recatados.

30. Deben estar llenos del Espíritu Santo y de sabiduría (véase Hch 6:3).

31. Estar de acuerdo con la Declaración de Fe, doctrina y gobierno de la Asamblea General Internacional de la Iglesia de Dios (Cleveland, TN).

Las responsabilidades del anciano:

1. En primer lugar, deben tener una relación dinámica con el Señor. Los ancianos deben ser un ejemplo de una vida bien ordenada que glorifica a Dios (1 P 5: 3).

2. Trabajar a favor de la misión de Dios para su iglesia.

3. Supervisar y facilitar la vida espiritual de la iglesia y el desarrollo de sus miembros. Servir con toda humildad a sus pastores y a los miembros. Deben advertirles sobre su vida espiritual y los falsos maestros (Hch 20: 28; 1 P 5: 3).

4. Deben servir en un espíritu de amor, humildad y sumisión al Altísimo. Amonestar, refutar y confrontar a los que contradicen la Palabra de Dios. Deben cerrarle el camino a Satanás para que la verdad de Cristo prevalezca en la congregación y comunidad (Hch 20: 29-3; Tit 1: 9).

5. Deben participar en el ministerio de la adoración y el servicio y guiar al pueblo hacia una relación personal con Jesucristo como Salvador y Señor.

6. Deben asegurarse de que la iglesia se someta al señorío de Cristo (1 Ti 3: 4-5; 5: 17; Hb 13: 17).

7. Deben animar a la congregación. Su prioridad es orar y estudiar la Palabra de Dios para que sean de un mismo espíritu con sus pastores. Deben trasmitir la visión pastoral para la iglesia. Por lo tanto, deben ser maestros de la sana doctrina (Hch 6: 1-4; 1 Ti 3: 22; Tit 1: 9).

8. Bajo la dirección del Espíritu Santo deben colaborar con los ministerios locales.

9. Colaborar con sus pastores en la implementación de los planes de Dios.

10. Deben recibir a los nuevos miembros.

11. Apoyar a los ministerios.

12. Facilitar la organización de los ministerios de la iglesia para que todos cumplan la misión.

13. Velar por quienes estén bajo su cargo, instándoles a crecer en la Palabra, oración y vida espiritual.

14. Deben promover la adoración, el crecimiento espiritual, la evangelización y todo lo que contribuya al avance del Reino de Dios y la gracia.

15. Involucrarse en el ministerio.

16. Dar el ejemplo con sus diezmos y ofrendas y ser siervos.

17. Deben reunirse mensualmente con el pastor o la pastora.

18. Deben oran e imponerles las manos a sus pastores antes de cada culto.

19. Deben servir junto a sus cónyuges en el altar. También, estar dispuestos a orar por los miembros cuando sea necesario.

20. Visitar a los ancianos, los recluidos en sus casas, hospitalizados o en asilos.

21. Velar por el bienestar espiritual de la congregación.

22. Aconsejar al pastor o la pastora sobre asuntos espirituales.

23. Servir la Santa Cena.

24. Ungir a los enfermos y orar por ellos.

25. Atender asuntos de disciplina junto con el pastor o la pastora.

26. Estar dispuestos a representar a la iglesia o a sus pastores.

Objetivo principal: Los ancianos fomentan una atmósfera de sanidad, cuidado pastoral, educación y crecimiento espiritual dentro de la iglesia.

Selección

La Biblia indica que los fundadores de la iglesia nombraban a los ancianos. Por eso el De carácter espiritual es más importante que la opinión popular. La Biblia no ofrece unas instrucciones más explícitas (véase Hch 14: 23; Tit 1: 5).

1. El pastor o la pastora buscan la dirección del Espíritu Santo antes de seleccionar a los hombres y las mujeres que servirán como ancianos o diáconos. Luego, llamará a cada persona para entregarle una copia de los requisitos y las responsabilidades de este cargo. Además, les dará la oportunidad de aceptar o rechazar por escrito el nombramiento.

2. Los candidatos deben pasar un tiempo en oración, examinándose a sí mismos sobre su preparación para servir como ancianos. Deben sentir la confirmación de Dios o retirar su nombramiento. Luego, deben entregar el formulario de respuesta. De lo contrario, será retirado de la lista.

3. El pastor vuelve a reunirse con cada persona para discutir los requisitos bíblicos del cargo. Entonces, los ancianos serán presentados a la congregación.

Duración del cargo:

1. La Biblia no dicta un período de duración para este cargo. En cambio, implican que todo depende de la labor y disposición del anciano.

2. Cada año debe evaluarse la labor de cada anciano. La iglesia debe confirmar nuevamente su ministerio.

3. Los ancianos deben evaluarse a sí mismos, tomando en cuenta cualquier factor que afecte su disponibilidad. Tanto el pastor/la pastora como el anciano pueden ponerle fin a su participación.

4. La iglesia debe confirmar otra vez a los ancianos. Toda persona que haya servido en la junta puede ser electa en el futuro.

5. La junta o el pastor pueden añadir más ancianos con el procedimiento señalado.

La comunión de los ancianos

Los ancianos deben trabajar en armonía entre ellos y sus pastores. La Biblia ofrece las siguientes instrucciones:

1. **Sumisión mutua:**

   «Someteos unos a otros en el temor de Dios» (Ef 5: 21).

2. **Respeto mutuo:**

   Digo, pues, por la gracia que me es dada, a cada cual que está entre vosotros, que no tenga más alto concepto de sí que el que debe tener, sino que piense de sí con cordura, conforme a la medida de fe que Dios repartió a cada uno.
   Unánimes entre vosotros; no seáis altivos, sino asociaos con los humildes. No seáis sabios en vuestra propia opinión (Rm 12: 3, 16).

3. **Amor cristiano:**

   Si yo hablara lenguas humanas y angélicas, y no tengo amor, vengo a ser como metal que resuena o címbalo que retiñe. Y si tuviera profecía, y entendiera todos los misterios y todo conocimiento, y si tuviera toda la fe, de tal manera que trasladara los montes, y no tengo amor, nada soy. Y si repartiera todos mis bienes para dar de comer a los pobres, y si e tregara mi cuerpo para ser quemado, y no tengo amor, de nada me sirve.
   El amor es sufrido, es benigno;
   el amor no tiene envidia;
   el amor no es jactancioso, no se envanece,
   no hace nada indebido, no busca lo suyo,
   no se irrita, no guarda rencor;
   no se goza de la injusticia,

sino que se goza de la verdad.
Todo lo sufre, todo lo cree,
todo lo espera, todo lo soporta.
El amor nunca deja de ser; pero las profecías se acabarán, cesarán las lenguas y el cono cimiento se acabará. En parte conocemos y en parte profetizamos; pero cuando venga lo perfecto, entonces lo que es en parte se acabará. Cuando yo era niño, hablaba como niño, pensaba como niño, juzgaba como niño; pero cuando ya fui hombre, dejé lo que era de niño. Ahora vemos por espejo, oscuramente; pero entonces veremos cara a cara. Ahora conozco en parte, pero entonces conoceré como fui conocido. Ahora permanecen la fe, la esperanza y el amor, estos tres; pero el mayor de ellos es el amor (1 Co 13: 1-13).

4. Hermandad:

«Amaos los unos a los otros con amor fraternal; en cuanto a honra, prefiriéndoos los unos a los otros» (Rm 12: 10).

La labor pastoral

Texto bíblico: Éxodo18: 13-26

¿Cómo los ancianos colaboran con el ministerio pastoral?

1. Oran por la familia pastoral (Flp 1: 19-20).

2. Son un muro de protección para la familia pastoral (Jb 1: 10).

3. Sostienen las manos de su pastor/pastora durante la batalla (Ex 17: 8-16):

    a. Espiritualidad: «Escoge a algunos hombres…».

    b. Vulnerabilidad: «… Aarón y Hur subieron…».

    c. Responsabilidad: «… sostenían sus manos…».

    d. Reciprocidad: «… tomaron una piedra y la pusieron debajo de él…».

    e. Adaptabilidad: «… e mantuvieron firmes sus manos hasta que se puso el sol».

    f. Capacidad: « Y Josué deshizo a Amalec…».

4. Trabajan unidos (Sal 133: 1; Ef 4: 3; Hch 1: 4; 2: 1).

5. Dicen presente (Hb 10: 25).

6. Conocen a sus pastores (1 Ts 5: 11-13). Cinco suposiciones:

    a. No son perfectos.

    b. No pueden complacer a todo el mundo.

    c. No se responsabilizan por el comportamiento de su pastor/pastora.

d. Reconocen que necesitan tiempo de ocio.

7. Comprenden las diversas responsabilidades de sus pastores:

a. padre/madre

b. pastor/maestro

c. administrador

d. representante de la congregación y la denominación

8. Son pacientes con la manera en que sus pastores les delegan responsabilidades.

9. Aprenden a ministrarle a la congregación (1 P 5: 1-4; Rm 12: 11).

10. Con respeto comparten la revelación del Espíritu Santo sobe cualquier punto débil del liderazgo de sus pastores (Ga 1: 8-9; 1 Co 4: 14, 21; 1 Ti 5: 1; 2 Ti 4: 2)

11. Hacen obra de evangelistas (2 Ti 4: 5).

12. Se aman los unos a los otros (1 Jn 3: 14-16).

13. Aprenden el principio pastora: las ovejas necesitan dirección, en lugar de presiones (Gn 33: 13-14).

Este material puede ser adaptado a cualquier congregación.

Este material es una compilación de:

Manual de recursos para ancianos, Raymond Culpepper

Manual de ancianos, Bryan Cutshall

Manual de ancianos, French Arrington

Manual de ancianos, Larry L. Benz

SECCIÓN 15

EDIFICADORES DE VIDA

FORMULARIOS

Todos estos formularios están disponibles
en nuestra página electrónica: www.coglifebuilders.com

Solicitud de Capítulo de los Edificadores de Vida

Escoja: solicitud ☐　　　　　　Cambio en el liderazgo o pastor ☐

Información del pastor

Nombre	Iglesia
Dirección de la iglesia	No. expediente
Ciudad	Estado　　　　Código postal
Teléfono de la iglesia	Teléfono celular
Dirección electrónica	

Información del líder de los Edificadores de Vida

Nombre	☐ Líder
Dirección residencial	
Ciudad	Estado　　　　Código postal
Teléfono diurno	Teléfono celular
Dirección electrónica	

Información de los miembros del equipo Edificadores de Vida

Nombre	☐ Equipo de liderazgo　☐ Miembro
Dirección de la iglesia	
Ciudad	Estado　　　　Código postal
Teléfono diurno	Teléfono celular
Dirección electrónica	

Equipo de discipulado Edificadores de Vida varonil (continuación)
Información de contacto

Nombre	❑ Equipo de liderazgo ❑ Miembro
Dirección de casa	
Ciudad	Estado Código postal
Teléfono diurno	Teléfono celular
Dirección electrónica	Posición

Nombre	❑ Equipo de liderazgo ❑ Miembro
Dirección de casa	
Ciudad	Estado Código postal
Teléfono diurno	Teléfono celular
Dirección electrónica	Posición

Nombre	❑ Equipo de liderazgo ❑ Miembro
Dirección de casa	
Ciudad	Estado Código postal
Teléfono diurno	Teléfono celular
Dirección electrónica	Posición

Haga copias adicionales según sea necesario.

Cuatro maneras de actualizar la información:

En línea: www.coglifebuilders.com

Fax: 423-478-7288

Correo: Church of God Men's Discipleship; PO Box 2430, Cleveland, TN 37320

Correo electrónico: mensdiscipleship@churchofgod.org

Informe Anual de los Edificadores de Vida

Fecha del informe _____

Nombre del líder _____

❒ Marque si su equipo de líderes ha cambiado desde el último informe (escriba los cambios en el formulario anterior).

Informe sometido por _____
Nombre del pastor _____
No. expediente de la iglesia _____
Nombre de la iglesia _____
Dirección _____
Ciudad _____
Estado _____ Código postal _____

ASISTENCIA

Varones inscritos durante este período _____
Cantidad de servicios llevados a cabo _____
Cantidad de cultos de oración _____
Cantidad de estudios bíblicos _____
Actividades especiales: _____
      Tema _____
      Lema _____
      Asuntos _____
Hombres con una misión

CAMPAÑA DE DISCIPULADO

Cantidad de grupos pequeños
Asistencia
Estudios bíblicos
Libros
Asistencia
Libros
Asistencia
Libros
Asistencia

PROGRAMA DE COMPAÑEROS DE ORACIÓN DEL PASTOR

¿Tiene un programa de compañeros de oración del pastor?   ❒ Sí ❒ No
Asistencia _____

Si no lo tiene, (1) ¿tiene planes de comenzarlo?   ❒ Sí ❒ No

           (2) ¿Le interesa obtener más información?   ❒ Sí ❒ No

CONEXIÓN ELECTRÓNICA DE DISCIPULADO DE VARONES

Envíenos testimonios, fotografías, etc., de su grupo. Las publicaremos en nuestra carta electrónica.

DÍA DEL PASTOR Y LA PASTORA

¿Celebró el día del pastor?   ❒ Sí ❒ No

CALENDARIO DE IDEAS ANUALES PARA LOS EDIFICADORES DE VIDA

A continuación ofrecemos una serie de sugerencias para las actividades anuales. Siéntase en la libertad de añadir sus ideas.

ENERO	FEBRERO	MARZO
• Reunión de planificación • Planifique las obras misioneras • Colabore con Hombres y Mujeres de Acción en un proyecto • Planifique el programa de oración por el pastor • Promueva la campaña LEA	• Celebre un banquete para los matrimonios • Organice un retiro • Organice los cultos de oración • Comience el estudio bíblico • Empiece a organizar el desayuno de Semana Santa	• Organice a los compañeros de oración del pastor • Planifique la campaña de discipulado familiar • Colabore con el ministerio de niños
ABRIL	**MAYO**	**JUNIO**
• Celebre el día del pastor • Patrocine el desayuno de Semana Santa • Planifique actividades de recaudación de fondos • Celebre una cena para patronos y empleados	• Celebre un homenaje a las madres • Patrocine una actividad de recaudación de fondos • Celebre el pasadía familiar • Planifique un torneo de pesca • Participe en la campaña de discipulado familiar	• Promueva el Día de los Padres • Prepare un día de padres e hijos • Patrocine una parrillada
JULIO	**AGOSTO**	**SEPTIEMBRE**
• Celebre un campamento de padres e hijos • Proyecto de Hombres con una misión • Celebre el 4 de julio	• Prepare actividades de evangelización • Celebre un seminario sobre la oración • Patrocine un torneo • Comience otro estudio bíblico	• Organice una distribución de tratados • Planifique una actividad de recaudación de fondos • Celebre una actividad padres/hijas
OCTUBRE	**NOVIEMBRE**	**DICIEMBRE**
• Día de logros • Semana de reclutamiento • Celebre el día del pastor y la pastora • Votaciones por los líderes del equipo	• Envíe el informe anual • Socorra a los necesitados • Patrocine actividades relacionadas con Acción de Gracias • Reparta canastas de alimentos	• Participe en donaciones de ropa, regalos o alimentos • Patrocine una cena para matrimonios • Planifique una vigilia • Promueva LEA • ¡Dé gracias a Dios por un año exitoso!

Edificadores de Vida
Guía del programa

Actividad:

☐ desayuno ☐ parrillada ☐ almuerzo ☐ banquete ☐ otro

Fecha _____   Lugar _____

Hora _____   Costo _____

Coordinador _____   Teléfono _____

Director _____   Coordinador de la música _____

Director de música _____   Cantantes _____

Músicos _____

Predicador _____

Tema _____

Objetivo _____

Texto bíblico y oración _____

Planificación _____

Anuncios de otras actividades _____

Actas de la reunión anterior _____

Publicidad _____

Ofrenda _____

Materiales y equipo _____

Otros involucrados _____

Testimonios _____

Clausura _____

Use esta hoja para sus cultos mensuales. Duplíquela.

Endoso Pastoral de los Edificadores de Vida

Información sobre el líder

Complete esta sección y entréguela a su pastor o pastora.

Nombre _____ Seguro social _____

Dirección _____

Teléfono hogar _____ Móvil _____

Correo-e _____

Fecha de nacimiento_____ Casado ❑   Soltero ❑

Iglesia local _____

Información sobre el pastor o la pastora

Complete esta hoja y envíela a su obispo administrativo.

Nombre _____

Nombre de la iglesia _____

Dirección _____

Teléfono de la iglesia _____

Certifico que el líder de los Edificadores de Vida ha cumplido los requisitos estipulados para la certificación.

1. Ser un miembro leal y adepto a las enseñanzas de la Iglesia de Dios.
2. Haber sido bautizado con el Espíritu Santo.
3. Fiel con sus diezmos.
4. Fiel congregante.
5. Dispuesto a trabajar en armonía con el programa local, regional e internacional, cooperador con el progreso de la iglesia.
6. Cuenta con el apoyo del pastor o la pastora.
7. Ha aprobado la verificación de su expediente criminal.

Firma _____

Lista de Cotejo

(Úsela para medir el progreso de su ministerio e identificar las mejoras y el crecimiento).

1. ¿Cuenta con el apoyo pastoral?

2. ¿Tiene claras su misión y visión?

3. ¿Ha recibido el segundo nivel de la certificación de los Edificadores de Vida?

4. ¿Seleccionó al equipo de los Edificadores de Vida?

5. ¿Adiestró a su equipo en el nivel I?

6. ¿Están los líderes involucrados en el discipulado transformador?

7. ¿Ya tuvo su primera reunión?

8. ¿Ha inscrito su capítulo de los Edificadores de Vida?

9. ¿Ha seleccionado y preparado a los líderes de las células?

10. ¿Separó las fechas de las reuniones mensuales?

11. ¿Comenzó los grupos celulares?

12. ¿Cómo está marchando el grupo de oración por el pastor/la pastora?

13. ¿Ha entablado un sistema de comunicación (correo electrónico, folletos, página electrónica, mensajes de texto, etc.)?

14. ¿Qué actividades ha organizado para promover el ministerio?

15. ¿Cuál es el porciento de la participación en las células?

16. ¿Ha celebra sus victorias?

SECCIÓN 16

Kit para la certificación de los Edificadores de Vida

Costo: $60.00 (valorado en $93.95)

- *Manual para la certificación de liderazgo de los Edificadores de Vida* – $25
- *Edificadores de Vida Essentials* – $20
- *Fundamentos de los Edificadores de Vida* CD – $15
- *Santiago, rumbo al discipulado* – $16.95
- *La Oración, Aliento de Vida* – $15.95

SECCIÓN 17

Repaso del manual

REPASO

Sección 1

1. ¿Cómo el discipulado de los Edificadores de Vida beneficia a los varones?

2. ¿Cómo el discipulado de los Edificadores de Vida beneficia al pastor y la pastora?

3.   ¿Cuáles son los requisitos para el nivel 1 de la certificación de liderazgo?

4.   ¿Cuáles son los requisitos para el nivel 2 de la certificación de liderazgo?

5.   ¿Quién puede enseñar los cursos para el nivel 1?

Sección 2

6. Identifique las doce claves para la organización de un capítulo de los Edifica–dores de Vida.

Sección 3

7. ¿Cuáles son las cinco áreas que determinan si la iglesia recibe a los varones?

8. ¿Cuál es la prioridad de los Edificadores?

9. ¿Cuáles son las responsabilidades del pastor/la pastora con los Edificadores de Vida?

10. ¿Cuál es la visión de discipulado de los Edificadores de Vida?

11. Mencione las nueve características de los líderes:

12. Mencione las tres partes del testimonio.

13. ¿Cuáles son los tres tipos de líderes?

14. Mencione tres puntos de la agenda de la primera reunión.

15. ¿Cuál será la agenda?

16. ¿Cuáles son las responsabilidades de los miembros del equipo?

17. Mencione los cinco aspectos del primer servicio o reunión.

18. ¿Cuáles son los cinco elementos esenciales para el adiestramiento del equipo de liderazgo?

19. ¿Por qué son importantes los grupos pequeños?

20. Mencione las seis claves para que los varones se mantengan activos.

21. ¿Qué ofrece la Iglesia de Dios para el adiestramiento ministerial?

22. ¿Cuáles son los objetivos de la campaña de discipulado familiar?

23. Menciones seis de los ministerios de los Edificadores de Vida que promueven el discipulado de los varones y sus familias.

24. ¿Qué requiere el certificado de Discipulado 100 y ser comisionado?

25. ¿Qué requiere el certificado de Discipulado 200?

26. Menciones las seis oportunidades para el desarrollo y la formación ministerial:

27. ¿Cuál es el primer paso para comunicarse con varones nuevos?

28. Menciones las cinco oportunidades naturales en las que puede hablar sobre el discipulado de los Edificadores de Vida:

29 ¿Cuántas actividades de reclutamiento debe llevar a cabo anualmente?

Repaso con respuestas

Manual de certificación de liderazgo Edificadores de Vida
Repaso con respuestas

Sección 1

1. ¿Cómo el discipulado de los Edificadores de Vida beneficia a los varones?

- Serán discipulados.

- Serán adiestrados para el ministerio.

- Serán movilizados a trabajar en la iglesia.

- Serán renovados espiritualmente.

- Inculcará un sentido de responsabilidad, pertenencia y compromiso con la familia de la iglesia.

- Serán desafiados a ser mejores esposos, padres, proveedores y líderes espirituales.

- Encontrarán su propósito y misión.

- Se convertirán en compañeros de oración de sus pastores y los ministerios de la iglesia.

2. ¿Cómo el discipulado de los Edificadores de Vida beneficia al pastor y la pastora?

- Tendrá un grupo de apoyo.

- Tendrá líderes sabios y capaces.

- Los varones estarán listos para la obra del ministerio.

- Encontrará nuevos compañeros de oración.

3. ¿Cuáles son los requisitos para el primer nivel de la certificación de lide–razgo?

1. La lectura del Manual de Certificación de Liderazgo de los Edificadores de Vida.

2. Que complete el examen que aparece al final del manual (es recomendable que el proceso ocurra en una célula o grupo pequeño).

3. Su pastor o pastora deben avalar su solicitud, incluyendo la verificación de sus antece–dentes penales.

4. Que sus formularios estén al día en la oficina de Discipulado Internacional de Varones.

5. Su iglesia debe tener un capítulo oficial de los Edificadores de Vida.

4. ¿Cuáles son los requisitos para el segundo nivel de la certificación de lide–razgo?

1. Que asista a la conferencia de Certificación de Liderazgo de los Edificadores de Vida

2. Que complete el repaso incluido en este manual.

3. Que haya recibido el endoso de su pastor o pastora.

4. Que haya recibido la verificación de su expediente criminal.

5. Los formularios del equipo y capítulo deben estar al día en las oficinas internacionales.

5. ¿Quién puede enseñar los cursos para el nivel 1?

Aquellos que hayan recibido el 2do nivel de la certificación.

Sección 2

6. Identifique las doce claves para la organización de un capítulo de los Edi–ficadores de Vida:

• Su pastor o pastora.

• Una misión y visión.

• Un líder hábil.

• Reclute al equipo de trabajo.

• Adiestre al equipo.

• Separe la fecha para el lanzamiento del ministerio.

• Inscriba su ministerio con los Edificadores de Vida Internacionales en las Oficinas Inte nacionales de la Iglesia de Dios.

• Escoja y prepare a los líderes de las células.

• Planifique una actividad de promoción.

• Inicie los grupos pequeños.

• Inicie las reuniones mensuales de los Edificadores de Vida.

• Inicie los compañeros de oración del pastor/la pastora.

Sección 3

7. ¿Cuáles son las cinco áreas que determinan si la iglesia recibe a los varones?

- Apariencia y decoración del templo.
- La apariencia de la congregación.
- Música.
- Predicación y enseñanza.
- El aprecio que sientan por los varones.

8. ¿Cuál es la prioridad de los Edificadores?

El discipulado.

9. ¿Cuáles son las responsabilidades del pastor/la pastora con los Edificadores de Vida?

- Iniciar la selección de los líderes y el equipo de discipulado.
- Supervisar el discipulado y la capacitación del equipo.
- Guiar la planificación.
- Fomentar la participación.
- Organizar un equipo de compañeros de oración.
- Patrocinar las actividades.

10. ¿Cuál es la visión de discipulado de los Edificadores de Vida?

Que cada varón sea un discípulo.

11. Mencione las nueve características de los líderes:

- Siempre listos para dar testimonio.
- Ser discípulos.
- Ser estudiosos de la Palabra.
- Ser varones de oración.
- El Espíritu Santo los guía.

- Son adoradores.

- Son fieles a Dios.

- Están apasionados por evangelizar y hacer discípulos.

- Dios está moldeando sus dones.

12. Mencione las tres partes del testimonio:

- ¿Cómo vivía antes de venir a Cristo?

- ¿Cómo vino a Cristo?

- ¿Cómo ha cambiado su vida y familia?

13. ¿Cuáles son los tres tipos de líderes?

- Los que están activos en el ministerio.

- Los que están preparándose para el ministerio.

- Los que sienten el llamado al ministerio.

14. Mencione tres puntos de la agenda de la primera reunión:

- Una hora.

- Comparta su visión para evangelizar, ganar y discipular a los varones.

- Responda estas preguntas:

   a. ¿Cuál es el objetivo de este ministerio?

   b. ¿Por qué hace falta?

   c. ¿Qué métodos usaremos, cuál es nuestra filosofía?

   d. ¿Cómo atraeremos a los varones?

   e. ¿Qué actividades y programas podríamos incorporar en nuestro ministerio?

   f. ¿Cómo justificamos su existencia?

15. ¿Cuál será la agenda?

- Oración (5 minutos).

- Repaso de la historia del ministerio local hacia los varones (5 minutos).

- Admita las bendiciones y los errores del pasado.

- Describa el modelo de los Edificadores de Vida, su énfasis en el discipulado y la evange–lización de los varones y sus beneficios para la iglesia y comunidad.

- Describa la situación actual (15 minutos):

    a. ¿Cómo están los varones?

    b. ¿Cuáles son sus problemas?

    c. ¿Cómo debería responder la iglesia?

- Presente los materiales de los Edificadores de Vida (15 minutos) y su potencial para el discipulado de los varones.

- Cierre: "Dios está llamándonos a ministrar a los varones. Les sugiero que dediquemos tres semanas a la organización del ministerio de acuerdo con los materiales de los Edi–ficadores. ¿Quién me ayudará?".

16. ¿Cuáles son las responsabilidades de los miembros del equipo?

- Coordinación y estrategia.

- Comunidad.

- Oración e intercesión.

- Líder de equipo.

- Proyectos y recursos.

17. Mencione los cinco aspectos del primer servicio o reunión.

- Presentar la visión.

- Aclarar el propósito.

- Vincularlo con la visión de la iglesia.

- Resaltar los beneficios.

- Explicar el compromiso.

18. ¿Cuáles son los cinco elementos esenciales para el adiestramiento del equipo de liderazgo?

- Grupos pequeños

- Oración

- Manual de certificación
- Fundamentos de los Edificadores de Vida
- Compromiso.

19. ¿Por qué son importantes los grupos pequeños?

- Siguen el modelo de Jesús
- Edifican amistades
- Rendición de cuentas
- Discipulado
- Apoyo mutuo
- Compañerismo para crecer en Cristo y el ministerio
- Modelo bíblico.

20. Mencione las seis claves para que los varones se mantengan activos:

- Un ministerio constante.
- Amistades.
- Ayudarlos a que descubran su propósito.
- Involucrarlos en la vida y el ministerio de la iglesia.
- Mantenerlos en la misión de Cristo.
- . Suplir sus necesidades.

21. ¿Qué ofrece la Iglesia de Dios para el adiestramiento ministerial?

- Conferencia de Legado de los Edificadores de Vida
- Mesas redondas
- Conferencia de certificación de liderazgo
- Conferencia de Adiestramiento de Líderes
- Confraternizaciones
- Conferencias/retiros para matrimonios y familias
- Adiestramiento de ancianos

22. ¿Cuáles son los objetivos de la campaña de discipulado familiar?

- Que las familias desarrollen el hábito del altar familiar.
- Que las familias vean el discipulado como un estilo de vida.
- Que las familias sean avivadas y sanadas.
- Que cada miembro de la familia haga discípulos de Jesucristo.
- Que cada mujer y varón comprometan su casa a servir al Señor.
- Que las madres y los padres funjan como líderes espirituales.
- Que cada familia fortalezca sus creencias.

23. Menciones seis de los ministerios de los Edificadores de Vida que promueven el discipulado de los varones y sus familias.

- Grupos celulares/estudios bíblicos
- Campaña de discipulado familiar
- Confraternizaciones
- Compañeros de oración del pastor y la pastora
- Programa Legado
- Programa de desarrollo de liderazgo

24. ¿Qué requiere el certificado de Discipulado 100 y ser comisionado?

- Fundamentos de los Edificadores de Vida
- Santiago, rumbo al discipulado
- Filipenses, rumbo al gozo
- Maximized Manhood
- Courage
- Wild at Heart
- Real Man

25. ¿Qué requiere el certificado de Discipulado 200?

- Never Quit
- Sexual Integrity
- Daring
- The Power of Potential
- Treasure
- Communication, Sex and Money
- Strong Men in Tough Times

26. Menciones las seis oportunidades para el desarrollo y la formación mi– nisterial:

- Capellanía comunitaria
- Operación Compasión
- Desarrollo de liderazgo local
- Hombres y Mujeres de Acción
- Certificado en estudios ministeriales (CIMS, por sus siglas en inglés)
- Hombres con una misión

27. ¿Cuál es el primer paso para comunicarse con varones nuevos?

Reunirse con el pastor y la pastora y trazar una estrategia de reclutamiento.

28. Menciones las cinco oportunidades naturales en las que puede hablar sobre el discipulado de los Edificadores de Vida:

- Ministrar en el altar
- Las dedicatorias de bebé
- Cada servicio de adoración
- La carta de los diez escogidos
- Bodas
- Tiempos de duelo, enfermedad o necesidad

- El trabajo

- Torneos deportivos

- Actividades en la comunidad

- Repartir invitaciones para las actividades especiales. Cada hermano se compromete a invitar a un amigo.

- Desayuno de resurrección

- Excursiones misioneras

- Ministerios de oración

- Retiros de varones

- Confraternizaciones

- Ujieres

29. ¿Cuántas actividades de reclutamiento debe llevar a cabo anualmente?

- Dos actividades grandes al año.

- Cuatro actividades diseñadas para mantener el interés de los varones.

Made in the USA
Las Vegas, NV
25 October 2021

33078585R00096